Sylvie se trompe

LES AVENTURES DE SYLVIE

M. 5 SYLVIE, HOTESSE DE L'AIR
M. 10 SYLVIE A DISPARU
M. 20 SYLVIE FAIT DU CINEMA
M. 25 SYLVIE SE MARIE
M. 29 SYLVIE A HONG-KONG
M. 33 SYLVIE ET LES ESPAGNOLS
M. 38 SYLVIE ET L'ENFANT PERDU
M. 48 SYLVIE AVAIT RAISON
M. 53 SYLVIE ET LE COMMISSAIRE
M. 59 SYLVIE AU VOLANT
M. 67 SYLVIE MAMAN
M. 71 SYLVIE VOIT DOUBLE
M. 77 SYLVIE A ARIENNES
M. 85 SYLVIE A PEUR
M. 97 SYLVIE DANS LA TEMPETE
M. 104 S. O. S. SYLVIE
M. 111 SYLVIE AU SOLEIL
M. 118 SYLVIE ET LA BELLE ETOILE
M. 125 SYLVIE SUR LA PISTE
M. 131 SYLVIE ET LE DRAGON
M. 141 SYLVIE REPREND DU SERVICE
M. 153 SYLVIE N'AIME PAS LE CHEWING-GUM
M. 157 SYLVIE ET LA DENT D'AKELA
M. 166 SYLVIE BRULE LES PLANCHES
M. 173 SYLVIE DANS L'ILE DU DIABLE
M. 181 SYLVIE PREFERE ROMEO
M. 191 SYLVIE DANS LA NEIGE
M. 205 SYLVIE EN SELMASCOPE
M. 210 SYLVIE ET L'ECTOPLASME
M. 215 SYLVIE LEVE L'ANCRE
M. 221 SYLVIE EN 8 MILLIMETRES
M. 226 SYLVIE TOMBE DES NUES
M. 231 SYLVIE ET LES ENFANTS DU SOLEIL
M. 246 SYLVIE A RETROUVE GRAND-PERE
M. 268 SYLVIE DE BOHEME
M. 269 SYLVIE RIT JAUNE
M. 270 SYLVIE TEND LA PERCHE
M. 271 SYLVIE CHEZ LES BARBUS
M. 272 SYLVIE CHEZ LES SNOBS
M. 273 SYLVIE ET LA MALEDICTION DE KEZUMA
M. 274 SYLVIE A RIO
M. 275 SYLVIE A MANHATTAN
M. 276 SYLVIE ET LA CONTESTATION
M. 277 SYLVIE SE MET EN 4
M. 278 SYLVIE A LA RESCOUSSE
M. 279 SYLVIE S'EN VA-T'EN GUERRE
M. 280 SYLVIE ET LE RAT D'HOTEL
M. 281 SYLVIE ET LES PROVOS
M. 282 SYLVIE REVIENT DE LOIN
M. 283 SYLVIE AU KIBBOUTZ
M. 284 SYLVIE TENTE L'IMPOSSIBLE
M. 285 SYLVIE ET SON CLOCHARD
M. 286 SYLVIE AU PIED DU MUR
M. 287 SYLVIE EN INDE
M. 288 SYLVIE, LA BAGUE AU DOIGT

Sylvie se trompe

René Philippe

marabout mademoiselle

ÉDITION ORIGINALE.

Couverture de Henri Lievens.
Page 4 de couverture : photo Philippe Vandooren.

 ● Les collections Marabout sont éditées et imprimées par GERARD & C°, 65, rue de Limbourg, B-4800 Verviers (Belgique). ● Le label Marabout les titres des collections et la présentation des volumes sont déposés conformément à la loi. ● Correspondant général à **Paris** : L'INTER, 118, rue de Vaugirard, Paris VIe. ● Gérant exclusif et distributeur général pour les **Amériques** : KASAN Ltée, 226 Est, Christophe Colomb, Québec 2 P.Q., Canada. ● Distributeur en **Suisse** : Editions SPES, 1, rue de la Paix, Lausanne.

I

— Un cocker, dit Sylvie.

— Un caniche, dit Virginie, c'est marrant.

— Tout de même, dit Eric, moi j'aimerais mieux un poney.

Gambier soupira. Quelle famille.

— On a rarement entendu un poney aboyer pour donner l'alerte, fit-il finement remarquer.

Eric haussa les épaules, ce qui était la marque d'un certain courage, car son père, il le savait, détestait cette forme de contestation. Toutefois, entre lui et Gambier, la distance était rassurante.

— Un teckel ? suggéra Sylvie. Ils sont amusants.

Eric fit la grimace.

— Tu parles. On dirait une saucisse à pattes. C'est un chien pour les filles. C'est égal, moi j'aimerais mieux un poney.

— Si vous continuez, dit Gambier, on n'aura pas de chien du tout. Amen.

Là-dessus, agacé, il se défoula en attaquant son steak avec férocité.

Tout cela avait commencé la semaine précédente. Lui, Gambier, avait dû passer deux jours à Londres. Et Sylvie, qui n'a cependant peur de rien, avait eu peur. Elle s'était réveillée en sursaut la nuit. Ce bruit... Elle était persuadée que quelqu'un marchait là-haut. Mon Dieu. Que faire, à présent qu'Alphonse et Céleste habitent le petit pavillon dans le fond du jardin ? Réflexe : s'enfouir sous les couvertures et attendre la suite des événements. Oui. Mais Eric et Virginie dorment là-haut. C'est comme cela que les crimes se commettent. J'y vais ou je n'y vais pas ? Finalement, poussée dans le dos par le devoir maternel et aussi par la curiosité, elle s'était armée du tisonnier et en avant, mon gaillard. Au moins, si j'avais un revolver. Mais de cela Gambier, qui redoutait un accident, ne voulait entendre parler à aucun prix. L'escalier grinçait. Le cœur de Sylvie battait. En face de quel monstre sanguinaire vais-je me trouver ? En fait, elle se trouva en face de la porte du grenier qui, mal verrouillée, battait régulièrement. Ouf. J'aime mieux ça. Mais ça ne fait rien : la maison est tout de même isolée, on doit acheter un chien.

— Un chien ? s'était étonné Gambier, aussi ahuri que si elle lui eût suggéré d'engager une section de gardes pontificaux.

— Un chien, quoi, avait dit Sylvie. Je ne vois pas du tout ce que cela a de surprenant. Il y a des tas de gens qui ont un chien.

— Et quand on part ?

— Alphonse est très capable de le nourrir. Ou bien on l'emmène. Remarque que je ne tiens pas nécessairement à avoir un saint-bernard. Un petit suffira. Un cocker, par exemple.

— Un caniche, avait proposé Virginie. C'est marrant.

— Tout de même, avait grogné Eric, moi j'aimerais mieux un poney.

Et voilà. Notez que Gambier n'avait rien contre les chiens. Simplement, il n'avait jamais songé qu'un de ces fidèles amis de l'homme — comme chacun sait — pût faire partie de la famille.

— Et qui s'occupera de lui ?

— Moi, dit Eric.

— Moi, dit Virginie.

Oui. On connaît ça. Ils le tortureront affectueusement pendant dix minutes et puis, las de ce nouveau jeu, ils ignoreront jusqu'à son existence. Et c'est encore moi qui pourrai me taper la corvée-pipi.

— Ne sois pas ridicule, dit Sylvie. Avec le jardin qu'on a. Il fera bien ça tout seul.

— Et s'il se sauve ?

— Pourquoi se sauverait-il ? Tu n'es tout de même pas si effrayant que ça, mon chéri. Et puis on le dressera.

— Tu sais, un chien, ça perd ses poils partout.

— Tu préférerais qu'il les dépose poliment chaque jour sur un plateau ? Un chien à longs poils, je ne dis pas. Mais un chien à poils ras, c'est deux fois rien. Je m'y connais. Quand j'étais petite, j'ai eu un fox. Il s'appelait Zouzou. Il venait m'attendre à la sortie de l'école et...

Ça y est. Quand elle appelle à la rescousse ses souvenirs d'enfance, on est parti pour un bout de temps. Zouzou ? L'intelligence faite chien. L'Einstein de la race canine. Dévoué et fidèle, et tout et tout. C'est tout juste si, pour vous être agréable, il ne faisait pas la lessive. Et ne voilà-t-il pas que cette petite perle s'était fait écraser par un chauffard ? Qui avait bien entendu pris la fuite. Scandaleux. Il y a des gens qu'on devrait fusiller. Là-dessus, petite larme. Gambier soupira.

— Bon, dit-il évasif. Je ne dis pas non. On verra.

Il espérait vaguement que cette nouvelle lubie leur passerait. En quoi il se trompait : dès le lendemain, Sylvie l'emmenait *manu militari* visiter une demi-douzaine de chenils.

Vous avez déjà visité un chenil ? L'agréable impression d'être accueilli par une meute hurlante, prête à vous dévorer tout vif.

— Et rien que des bêtes de race, dit l'éleveur.

— Avec pedigree ? demanda Sylvie.

— Heu... c'est-à-dire que... vous savez, un

pedigree...

— Compris, souffla Sylvie à l'oreille de Gambier. On s'en va. D'ailleurs, ça ne sent pas le chien, ici, ça sent le bouc !

En route vers un autre chenil. Et les chenils, on se demande pourquoi, sont toujours situés au diable vauvert. Celui-ci s'appelle *Les petites mascottes*. On n'y vend pas des chiens, mais des mini-chiens de la grosseur d'un poing. Les voleurs éventuels trouveront à qui parler !

— Excusez-nous, dit Sylvie, ce n'est pas ça que nous cherchons.

En route vers un autre chenil.

— Tu sais, explique Sylvie qui s'est puissamment documentée, il faut se méfier. On te refile un corniaud et tu n'y vois que du feu. Indispensable le pedigree. Et je veux un pedigree Saint-Hubert, encore bien ! Je sais ce que je dis. Laisse-moi faire. On ne doit plus être très loin. Ralentis.

Là, il n'y a malheureusement que des boxers, que Sylvie déteste, et un gigantesque danois qui regarde Gambier avec beaucoup de sympathie, comme s'il allait n'en faire qu'une bouchée.

— Excusez-moi, dit Sylvie.

En route vers un autre chenil. Gambier commençait à penser qu'Eric avait peut-être raison. Dans le fond, un poney... Toutefois, résigné, il se taisait. Elle veut son chien : elle l'aura. Autant en finir tout de suite. Encore une chance qu'il fasse beau.

C'est au sixième chenil que Sylvie eut le coup de foudre. Pas pour un cocker. Pour un jeune berger allemand qui la regardait avec tendresse.

— Oh ! Phil, qu'il est mignon !

— Heu... Ne voulais-tu pas un petit chien ?

— Mais il est tout petit !

Tout petit ? Evidemment, tout est relatif. Il n'est pas énorme. Pataud, l'air doux, mais avec des pattes comparables à des pattes de lion et qui promettent, je ne vous dis que ça ! Il suffit d'ailleurs de regarder son père, dans la cage voisine. Un fauve déchaîné. Debout sur ses pattes arrière, il est plus grand que Gambier ! Un démon noir, hérissé de colère, secoué d'aboiements rageurs, avec des crocs qui laissent rêveurs...

— Oui, dit Sylvie, mais cela dépend de la façon dont on les élève.

— Bien sûr, dit le marchand, il sent qu'on veut lui enlever son fils. Il n'aime pas ça.

— Je comprends, dit Sylvie. Mets-toi à sa place, Phil.

Gambier essaya, honnêtement.

— Celui-ci a sept mois, expliquait le marchand. L'âge idéal, pour l'adoption. Remarquez, madame, la symétrie des taches. Impeccable. Les oreilles bien droites et la queue horizontale. Une bête superbe.

— Superbe, admit Sylvie déjà conquise et envahie d'amour.

— J'ai entendu dire, risqua timidement Gambier, que les bergers allemands sont faux.

Le marchand eut un haut-le-corps indigné, comme si l'on accusait ses bergers d'être personnellement responsables de la réputation de fausseté de tous les bergers de la terre.

— Faux, monsieur ? Quelle absurdité. On en fait d'ailleurs des chiens d'aveugles, c'est tout dire. Le berger allemand n'a qu'un maître, mais c'est à la vie à la mort.

— Et avec les enfants ? demanda Sylvie.

— La douceur même, madame. Il les considère, peut-on dire, comme ses propres enfants.

J'espère, pensa Gambier, qu'il ira travailler pour les nourrir... Il garda cependant pour lui cette spirituelle réflexion.

— Comment s'appelle-t-il ? demanda Sylvie.

— Simba, madame.

— Simba ?

— Oui. Vous n'ignorez pas que les chiens de race doivent obligatoirement, selon l'année, porter un nom commençant par une lettre déterminée. Comme les chevaux. Cette année, c'est la lettre S. Or, ce gaillard est né au mois d'août, sous le signe du Lion, et Simba signifie lion...

Sylvie, ravie, se tourna vers Gambier :

— Tu entends, Phil ? Il est né sous le signe du Lion. Comme toi. C'est bon signe !

Là, Gambier en convint tout de suite.

— Il a un pedigree ? s'enquit Sylvie.

— Bien entendu. Emis par l'Union Cynologique

Saint-Hubert. Je vais vous montrer cela.

Simba vom Hause des Wolfs - Chien de berger allemand. Suivait la liste des parents et ancêtres de Simba jusqu'à la cinquième génération. Avec plein de cachets et de signatures. Un véritable arbre généalogique. Gambier se sentit vaguement roturier et humilié. Il regarda le chiot, qui le regardait aussi en inclinant la tête. Il fut conquis à son tour. Après tout, un berger allemand, c'est un vrai chien. Pas un chien pour fille, comme dit Eric. Viril. Et puis, né sous le signe du Lion... Il paya. On emmena Simba. Plutôt, on le traîna, on le porta, terrorisé, tremblant, gémissant, jusqu'à la voiture. Pas bien terrible, le louveteau !

Simba n'avait pas apparemment, pour les Alfa, un immense respect. Sous l'effet d'une peur panique, il y fit non seulement pipi, mais tout le reste.

— Sale bestiole, grogna Gambier. Ça commence bien.

— C'est un enfant, l'excusa Sylvie. Il s'habituera. Viens, Simba. Viens, mon gros chien-chien.

Mais le gros chien-chien, paralysé de terreur, vissé sous le siège avant, ne bougeait pas d'un millimètre. Ce ne fut pas une mince affaire de l'extraire de là.

— Attention à ses oreilles, disait Sylvie. Attention à sa queue. C'est encore très fragile.

— Chic ! dit Eric, un chien policier. Mais quel froussard. Simca, quel drôle de nom.

— Simba, corrigea Sylvie. Ça veut dire lion, en

africain. Où il est le beau chien-chien ? A la maison. Il est content d'être à la maison ?

A première vue, Simba ne baignait pas dans une félicité sans nom. Plat comme une galette, les oreilles couchées, haletant, il bavait littéralement de terreur.

— Pfutt ! souffla Eric, déçu. Quelle nouille. Qu'est-ce que vous lui avez fait ?

— Mais rien du tout. Si tu t'étais vu, toi, à son âge. C'est un bébé.

— Ça ne fait rien, dit Eric, je lui apprendrai à se battre.

Il s'approcha, s'accroupit, tendit la main vers Simba.

— Grrr ! fit Simba.

Eric, comme propulsé par un ressort, bondit en arrière. Il se releva, un peu pâle.

— J'ai l'impression, dit Gambier, goguenard, qu'il apprendra bien tout seul. Viens plutôt m'aider.

Ils s'en furent chercher un pieu, une chaîne, attachèrent Simba.

— Laissons-le se remettre de ses émotions, dit Gambier. Et allons dîner. A propos, ça mange quoi, ces chiens-là ?

Le vétérinaire vint le lendemain. Il examina Simba sur toutes les coutures, le vaccina, le déclara magnifique et en bonne santé. Après quoi, il établit son menu. Le matin : lait, pain rassis avec margarine, fromage blanc, yaourt. Midi : potage, légumes frais. Soir : viande rouge, riz, légumes frais, huile de maïs. De temps à autre, un peu de graines de lin. Ne pas oublier les vitamines, ni le calcium.

— Ça alors, dit Gambier médusé. Je croyais qu'un chien se bornait à manger les restes.

Le vétérinaire se mit à rire. C'était un gros homme rougeaud et jovial.

— Il y a chien et chien, commandant. Pour celui-ci, noblesse oblige ! Au début, la nourriture, c'est très important. Quand il aura un an, il ne prendra plus qu'un seul repas par jour. Si quelque chose ne va pas, appelez-moi.

Une fois de plus, Gambier paya. En songeant que cet animal allait lui coûter une fortune.

— Une fortune, dit Sylvie, tu exagères toujours. J'économiserai sur ton bifteck !

— Waf ! dit soudain Simba. Waf-waf !

Les oreilles bien droites, il regardait Gambier.

— Tu as entendu ? dit Sylvie. Il a aboyé !

Gambier sourit :

— Tu sais, les chiens, c'est plutôt rare qu'ils miaulent... Viens ici, Simba.

Simba agita la queue. Puis il s'approcha de Gambier et lui envoya en plein visage un grand coup de langue affectueux.

— Qu'il est mignon ! s'extasia Sylvie. Je l'adore. Viens, Simba. A moi, maintenant.

— Grrr ! fit Simba.

Sylvie, interloquée, recula.

— Mais… ?

Gambier se mit à rire :

— Il se méfie. Il a raison. Ces chiens ont un instinct très sûr…

Le fait est que Simba se choisit Gambier pour maître unique et souverain. Il tolérait Sylvie et les jumeaux, Alphonse et Céleste, mais sans plus. A chaque tentative d'approche, il grondait sourdement. Au point que Sylvie, dépitée, en avait les larmes aux yeux.

— Mais pourquoi ne m'aime-t-il pas, Phil ?

Gambier haussait les épaules, expliquait :

— Pour un chien, une famille, c'est une meute. Il doit apprendre à connaître l'importance de chacun. A trouver sa propre place. Ce n'est pas une question d'amour. C'est une question de hiérarchie. Tu verras.

Cela se passa ainsi. Très vite, Simba cessa de gronder. Il jouait follement avec les jumeaux dans le jardin. Il grandissait. En l'absence de Gambier, il condescendait même à obéir aux ordres de Sylvie. Mais sans hâte, pour bien montrer qu'il s'agissait là d'une discipline librement consentie. Au reste, il acceptait à présent les caresses de Sylvie et y répondait en la mordillant gentiment un peu partout. Mais il continua de réserver à Gambier ses grands coups de langue et ses grands bonds de joie. Un seul maître. Mais aurait-on pu lui en vouloir d'être fidèle aux lois de sa race ?

La nuit, il dormait dans le garage. Le jour, on l'attachait à une longue chaîne dans le jardin. Cela ne dura guère. Ce paquet de muscles devenait d'une force peu commune. Les chaînes cassaient les unes après les autres. Comme il avait l'humeur vagabonde, il s'empressait alors de disparaître et d'aller folâtrer dans les environs. Comment deviner que ce démon noir était, sorti des limites de son territoire, d'un naturel communicatif et enjoué ? En le voyant surgir devant eux, les gens risquaient l'infarctus et les enfants hurlaient de terreur.

— Ce n'est pas possible, Phil, dit Sylvie. On va avoir des ennuis. Il faut absolument l'empêcher de sortir. Il faut boucher les trous.

Boucher les trous. La clôture, rouillée çà et là, présentait des brèches nombreuses, de même que la haie d'aubépine. Durant tout le week-end, Gambier s'arma de courage, de patience et de fil de fer. Simba y vit un jeu passionnant. Chaque fois que Gambier avait ainsi bouché un trou, il s'employait activement, s'aidant des pattes et des dents, à rétablir le passage. Cela aurait pu durer jusqu'à la fin des temps. Accroupi devant la haie, les mains abondamment tailladées et les chevilles mordues par mille orties, exténué, Gambier était persuadé qu'il en était — ouf ! — à son dernier trou. Il avait alors soudain la surprise d'apercevoir Simba qui le guettait, tout guilleret, de l'autre côté de la haie... Par où ce maudit chien a-t-il pu sortir ? Gambier faisait le tour du jardin et constatait que ses laborieuses fortifications étaient toutes détruites. Il en aurait pleuré. Sale bête. Je vais te flanquer mon pied... Simba — waf-waf ! — gambadait joyeusement autour de lui.

— Tu n'as pas encore fini, mon chéri ? s'inquiétait aimablement Sylvie.

— Fini, fini, je voudrais t'y voir. Il s'amuse à démolir systématiquement tout mon travail. Regarde.

Découragé, il montrait les fils tordus, les branches arrachées. Sylvie se mit à rire.

— Ça prouve une chose : que ce chien est plus intelligent que toi ! Il n'y a qu'une solution : mettre une nouvelle clôture...

Une nouvelle clôture ? Gambier eut une sorte de vertige. Pourquoi pas un mur d'enceinte, un pont-levis, des fossés remplis d'eau ?

— Tu es folle, dit-il. Tu sais ce que ça coûte ? Il y a une autre solution...

Durant les jours qui suivirent, il entreprit patiemment d'interdire à Simba de quitter la propriété. Ce fut long.

— Tu perds ton temps, disait Sylvie en manière d'encouragement. Ou alors apprends-lui à lire et place des *Stop* partout !

Gambier s'obstina.

— Simba ! Non. Ici. Tu ne peux pas. Vas-tu revenir, espèce de sale... Voilà. Voilà. Gentil. Gentil chien-chien...

Or, contre toute attente, Simba finit par comprendre. On put même laisser la grille ouverte sans qu'il tentât de s'évader. Quand quelqu'un passait dans la rue, il se contentait de courir le long de la haie en aboyant furieusement. Inutile de dire que plus personne n'osait s'aventurer dans l'allée. Les fournisseurs sonnaient et se tenaient à bonne distance. Par contre, et inexplicablement, Simba s'était pris de sympathie pour le facteur. Il allait l'attendre à la grille et l'accompagnait jusqu'au perron en trottinant à ses côtés.

— C'est tout de même curieux, dit Gambier. Je ne comprends pas. Pourquoi le facteur ?

Eric haussa les épaules :

— C'est pourtant facile à comprendre. Il croit que c'est toi. Le facteur, il a aussi un uniforme...

Gambier demeura rêveur. L'égalité des classes, d'accord. Mais entre un uniforme de facteur et un uniforme de commandant aviateur, il y a tout de même quelques légères différences... Ou alors ce chien est vachement myope !

Bien entendu, Simba ne confondait nullement son maître et le facteur. Simplement éprouvait-il pour ce dernier — un gros homme rieur et moustachu — une vive sympathie. Pourquoi un chien n'aurait-il pas le droit d'avoir de la sympathie pour quelqu'un ? Il sentait bien que le facteur était un brave homme, incapable de faire le moindre mal à une mouche ni de voler ne fût-ce qu'une allumette. Mais aller donc expliquer cela à des humains !

Il était devenu superbe, puissant, solidement

planté sur ses pattes. Il faisait l'admiration de tous. Il n'en devenait pas snob pour autant. Il aimait accompagner Alphonse dans ses courses. Surtout chez le boucher. Il y recevait toujours une rondelle de saucisson large comme la main. Il aimait aussi se promener en voiture. Il passait la tête par la fenêtre. Le vent lui fouettait la truffe et c'était amusant comme tout. Par contre, il tenait les oiseaux, et surtout les merles, pour ses ennemis personnels. Il les traquait infatigablement dans le jardin et regrettait alors de ne pas avoir des ailes. Il lui arrivait d'attraper quelque vieux merle distrait ou sourd ou un oisillon tombé du nid. Il ne les tuait pas. Il les prenait délicatement entre ses énormes crocs et les apportait triomphalement à Sylvie qui ne savait qu'en faire.

Quant aux autres chiens, il les dédaignait. Surtout ces hargneux petits roquets qui aboient tout le temps sans raison et qu'on mettrait k.-o. d'un coup de patte. Une fois, un fox insouciant et curieux était entré dans le jardin. Cela n'avait pas traîné. Simba avait surgi comme la foudre. Il avait positivement saisi l'indésirable par la peau du cou et l'avait jeté dehors. L'autre n'avait pas insisté, conscient de l'avoir échappé belle.

Simba, toutefois, avait un ami, Scott, le chien de Madeleine[1], un élégant coolie blanc et feu qui avait des manières un peu mondaines. Mais qui n'a pas

1. Voir *Sylvie et l'enfant perdu*.

ses défauts ? Quand Scott venait à la maison, c'était la fête. Ils jouaient à se poursuivre pendant des heures et il faut dire que ce damné Scott courait rudement vite. Après quoi Simba l'invitait à partager sa pâtée et ils se reposaient ensemble au soleil.

Une belle vie, quoi. On se demande pourquoi on attribue, à l'expression « une vie de chien », un sens péjoratif. Mais il y a des choses qu'on n'arrive pas à comprendre, fût-on né *vom Hause des Wolfs*. Ainsi, le jour où Gambier a ramené ce machin en bois. Cette niche, c'est ça. Il avait l'air tout réjoui. Il a assemblé les planches. Toute la famille était là. Simba regardait, lui aussi. Cela ressemblait à une petite maison.

— Avouez que c'est bien, hein ?... Aïe ! disait Gambier en se tapant sur les doigts. Sale truc. Bon. Un peu cher, peut-être, mais ça doit durer des années. Il n'y a plus qu'à poser le toit. Voilà. Qui est-ce qui est content ? C'est pour qui la belle niniche ? Viens, Simba. Viens, mon chien.

Simba, intrigué, s'était approché, avait flairé la niche. Mais, quand Gambier avait voulu le pousser dedans, il s'était empressé de détaler.

— Simba ! Viens ici. Vas-tu venir ici. Mais c'est une niche, imbécile. Tous les chiens ont une niche. U-ne ni-che. Quel crétin.

— Tu n'as qu'à y mettre un os, avait suggéré Eric.

Gambier y avait mis un os. Simba avait pris l'os

puis, aussitôt, le large.

— Laisse-le, avait dit Virginie, il s'habituera. Il finira bien par y aller tout seul.

Sylvie riait :

— Pensez-vous. Je le connais. Il n'ira jamais là-dedans.

Celle-là, au moins, elle comprend. Une niche, je vous demande un peu ! Pourquoi voudriez-vous que j'aille là-dedans ? C'est tout noir. C'est grand comme un mouchoir de poche et, de plus, ça sent le sapin ! J'aime beaucoup le commandant mon maître. Je me ferais hacher menu pour lui. Sans hésiter. Mais, sa niche, il peut l'habiter lui-même si ça lui chante. Moi, je vous jure que je n'y mettrai jamais une patte !

En attendant, la niche reste là, sur la pelouse. Gambier se console en se disant que, tout compte fait, c'est plutôt décoratif. Et puis il conserve secrètement l'espoir que Simba se décidera un jour... Une si belle niniche !

Ce soir-là, Simba dressa soudain les oreilles. On parlait de lui. Qu'est-ce qu'ils manigancent encore ?

— D'accord, dit Gambier. Je veux bien passer les vacances à Ariennes[1]. Mais pas d'accord pour emmener Simba.

Quand je vous le disais. Quel ingrat.

1. Voir *Sylvie à Ariennes.*

— Pourquoi pas ? dit Sylvie.

— Enfin, ma chérie, rends-toi compte. Il courra partout, au risque de se faire écraser.

Parce que, en plus, il me prend pour un idiot. Pas d'accord pour m'emmener. Je n'ai pas besoin de vacances, moi, peut-être ?

— A Ariennes, dit Eric, il n'y a presque pas de bagnoles.

— Il n'en faut qu'une. Et puis, ta mère...

— Maman aime beaucoup les animaux, dit Sylvie.

Ah oui ? J'aimerais beaucoup la connaître, moi, cette dame-là ! Simba se lève, s'étire, va se frotter la tête contre les genoux de Sylvie, puis il la regarde d'un air suppliant.

— C'est moche, dit Virginie, de le laisser ici.

Gambier hausse les épaules :

— Avec Alphonse et Céleste, il sera très bien. Et puis il n'y a pas place dans la voiture.

— On se serrera, dit Eric.

— On a deux voitures, dit Sylvie. Ariennes, ce n'est pas le bout du monde...

Simba — une fois n'est pas coutume — y va d'un grand coup de langue sur la main de Sylvie. Son regard exprime toute la détresse du monde.

— Regarde-le, dit Sylvie. On dirait qu'il comprend.

Ils sont marrants. Ils s'imaginent toujours que je ne comprends rien. Alors que c'est eux, justement, qui ne comprennent rien quand je parle !

— Emmenons-le, Phil.

Gambier soupire :

— Bon. Si vous insistez... Mais s'il vous casse les pieds, ne venez pas vous plaindre.

S'il croit qu'il ne me casse jamais les pattes, lui ! Enfin, c'est gagné. Waf-waf !

II

— Hou là là ! dit Mme Renaud en apercevant Simba, quelle grande bête. Il ne mord pas, au moins ?

Nullement impressionnée, car rien ne l'impressionnait, elle caressa la tête du chien. Simba, d'emblée, aima beaucoup la vieille dame.

— Il est beau, dit Mme Renaud, mais trop maigre. On voit ses côtes.

— On ne les voit pas, rectifia Sylvie, on les soupçonne. Chez ces chiens-là, on doit les soupçonner.

Mme Renaud regarda sa fille et haussa les épaules.

— On doit les soupçonner, je vous demande un peu. Pauvre Melba !

— Simba, maman. Pas Melba !

— Simba, si vous voulez. Ça ne fait rien, mon

chien, je vais m'occuper de toi, moi.

On sait la passion que Mme Renaud met à nourrir les gens. Simba en fut la victime consentante et ravie. Ce gourmand, traité en gourmet, eut droit à longueur de journée à mille morceaux de choix. Il y gagna quelques kilos et conserva, de son séjour à Ariennes, un souvenir inoubliable. S'il existait un Guide Michelin à l'usage des chiens, Simba eût à coup sûr décerné cinq étoiles à Mme Renaud ! Elle ne réussit toutefois jamais à retenir son nom. Elle l'appelait Limba, Simbad le Marin, Milpa ou même Gilda au petit bonheur la chance. Finalement, elle décida de l'appeler Gamin et s'en tint là. Simba ne se vexa pas pour si peu. De toute manière, dès qu'il entendait la voix de Mme Renaud, il s'empressait d'accourir en se pourléchant d'avance les babines.

Mme Renaud ne changeait pas. On eût dit que les années n'avaient plus de prise sur elle. Menue, les cheveux blancs noués en chignon, avec son ruban de soie autour du cou et son tablier bleu, elle trottinait comme une fourmi, décochant d'un air bougon ses mots à l'emporte-pièce et s'en prenant ainsi à tout le monde. Mais on connaissait son cœur d'or et on savait qu'elle se serait fait couper en quatre pour assurer le bonheur des siens.

— N'ont pas très bonne mine non plus, les loupiots, décréta-t-elle en considérant d'un œil critique Eric et Virginie. On dirait des perches à haricots !

— C'est qu'ils grandissent..., risqua Sylvie.

— Manquerait plus que ça ! Raison de plus pour bien manger. Et pas des machins en boîte comme à la ville.

— Ici, c'est pure nature ! ironisa Gambier.

Mme Renaud le regarda.

— Vous pouvez rire, grand fainéant, je sais ce que je dis. Attendez, que je mette l'eau à chauffer pour le café...

La petite maison blanche aux volets verts ne changeait pas non plus. Une propreté méticuleuse, presque maniaque. Sur la cheminée, dans son cadre ovale, la photo de M. Renaud souriait avec bienveillance. Le carrelage à damier noir et blanc brillait comme un miroir. Il y avait de grandes marguerites dans un pot en grès brun posé sur la fenêtre. On voyait les rosiers du jardin, les iris et les glaïeuls. Un décor immuable. Et la grande paix campagnarde.

— Et vous autres, demanda Mme Renaud en versant l'eau bouillante dans la cafetière, quelles nouvelles ?

— Rien de spécial, dit Sylvie. Le traintrain quotidien.

— C'est mieux ainsi, ma fille. Pas de nouvelles, bonnes nouvelles. Quand il y a du nouveau, c'est rarement du bon.

— Et la ferme du père Ménard[1] ? demanda

1. Voir *Sylvie tente l'impossible*.

Sylvie.

— Ils l'ont rasée avec leurs grosses machines. Une misère. Maintenant, la nouvelle route passe dans le village. Mais de l'autre côté, heureusement.

Mme Renaud sortait le service des grands jours, en porcelaine blanche cerclée d'un filet d'or. La bonne et vigoureuse odeur du café emplissait la pièce.

— Vous mangerez bien un petit morceau de tarte, décidait Mme Renaud. Aux fraises. Et la crème vient de la ferme. Et toi, machin... heu..., Samba, est-ce que tu manges aussi de la tarte ?

Simba, sans se faire prier, dévora un énorme quartier.

— Pour un beau chien, appréciait Mme Renaud, c'est un beau chien. On dirait un loup.

Simba, flatté, ouvrait toute grande la gueule pour montrer ses crocs. Après quoi, repu, il s'en fut, en compagnie des jumeaux, explorer le village.

— On va s'asseoir au jardin, dit Mme Renaud. Il fait si beau.

Les tomates rougissaient dans le potager. Il y avait des salades, des touffes de persil, des carottes. Les abeilles vrombissaient autour des groseilliers. Les branches du pommier ployaient déjà sous le poids des fruits mûrissants.

— C'est ce qui s'appelle, dit Gambier en souriant, un jardin bien entretenu.

— Ouais. Si vous voulez. Mais ce n'est plus comme du temps d'Emile. Alors, on avait de tout. Tandis que maintenant... Je compte sur vous, mon garçon, pour cueillir mes pommes ! Et vous, votre jardin ?

— Ça va, dit Sylvie. Tu sais, je ne m'en occupe pas beaucoup.

— Tu as tort. Tu devrais cultiver des légumes.

Sylvie sourit :

— Ça va plus vite de les commander par téléphone !

La vieille dame tendit vers elle un index courroucé :

— C'est ça, justement, qui vous perdra. On commande par téléphone, mais on ne sait pas ce qu'on mange. Des produits chimiques et toutes sortes de saletés. Tu devrais cultiver des légumes, te dis-je. Les légumes frais, il n'y a rien de tel.

C'était toujours, au fond, les mêmes sujets de conversation et c'était agréable. Un bain de simplicité rustique. Le soleil chauffait. Les gens passaient, disaient bonjour à voix haute, parfois saluaient de la main. Ici, tout le monde connaît tout le monde. Parfois, quelqu'un meurt. On dit une prière pour le repos de son âme et la vie continue. Rythme lent, paisible. Les saisons se succèdent et le soleil revient toujours.

— On a eu la rage dans la région, expliquait Mme Renaud. On ne pouvait plus laisser courir les chiens. Maintenant, c'est fini. Mais l'Antoine Hardy — tu sais, la grosse ferme au-dessus de la côte — a perdu cinq ou six vaches. Tiens, voilà M. le curé...

Un nouveau, que Sylvie avait aperçu déjà une ou deux fois. Il s'arrêtait, souriait. Il était tout jeune, l'air encore d'un séminariste. Mais grand, costaud, avec un large sourire.

— Bonjour madame Renaud. Bonjour madame Gambier. Bonjour mon commandant. On est de retour au village ?

— Oui, dit Sylvie. Et cette fois pour tout un mois.

Elle riait :

— On revient toujours, monsieur le curé, sur le lieu de ses péchés !

Le curé riait aussi :

— Péché avoué est à moitié pardonné. J'ai croisé vos enfants, là, sur la place. Et le chien, il est à vous ? Une fameuse bête. Je me sauve. J'espère qu'on se reverra. A bientôt.

Il s'en allait à grands pas.

— Il est sympa, dit Sylvie.

Mme Renaud soupirait :

— Ça, je ne dis pas. Brave et dévoué. Mais est-ce une tenue, ça, pour un curé ?

— Tu sais, maman, la soutane…

— Oui, je sais. N'empêche que je trouve que c'était mieux dans le temps. Un curé en soutane, c'était un curé ! C'est comme la messe. Je n'y comprends plus rien.

— Vous compreniez mieux quand ça se passait en latin ? demandait Gambier imperturbable.

Mme Renaud haussait les épaules :

— Moquez-vous, seulement. Je sais ce que je dis. Avant, on avait plus de respect. Et quand le respect s'en va...

— Tout fiche le camp ! enchaîna Gambier.

— Exactement. Je ne veux pas jouer les oiseaux de mauvais auguste...

— Augure, maman, dit Sylvie. On dit : oiseau de mauvais augure.

— Si vous voulez. Ça revient au même. De mauvais augure, donc, mais c'est à se demander où va le monde.

— Depuis le temps qu'il va, le monde, dit Sylvie. Tout s'arrange toujours.

Mme Renaud soupira :

— Vous avez peut-être raison. Peut-être bien que je radote. Qu'est-ce que vous voulez manger pour souper ? Il y a des asperges ou du bouilli, au choix.

— Pourquoi au choix ? protesta Gambier souriant. Pourquoi pas des asperges *et* du bouilli ?

Mme Renaud avait un petit rire :

— Et goinfre, avec ça. Tous les défauts. Je me demande bien, ma fille, où tu avais la tête quand tu t'es mariée avec ce coco-là ! Va pour les asperges et le bouilli...

Déjà, elle faisait mine de se lever. Sylvie la retint.

— Attends. Il n'y a pas le feu. A la maison, on ne mange jamais avant huit heures. A propos de mariage, comment va Noëlle[1] ?

— On ne peut mieux. Elle ne passe jamais sans venir me dire bonjour. Et les enfants sont magnifiques. Un beau ménage.

— Cela me fera plaisir de les revoir, dit Sylvie.

— Et eux, donc. Quand ils parlent de vous deux, c'est comme s'ils parlaient du Bon Dieu. Il n'y a pourtant vraiment pas de quoi !

Les jumeaux revinrent avec Simba, de qui la langue traînait jusque par terre.

— Il a soif, expliqua Eric. Nous aussi, du reste. Tu sais, mamy, on a eu un succès fou, avec Simba. On peut avoir de la menthe ?

C'était, à Ariennes, la tradition. Les jumeaux ne buvaient que de la menthe verte. Quand on leur en servait à la maison, ils faisaient la grimace. Mais la menthe verte faisait partie d'Ariennes, au même titre que le soleil, les arbres, les vaches dans les prés et le goût des vacances. Un peu comme le pastis, que Gambier ne savourait vraiment que sous le ciel de la Côte d'Azur.

— Vous pouvez, dit Mme Renaud. Mais ne buvez pas trop vite, vous êtes en nage.

Le soleil descendait lentement. Quelques petits nuages blancs se suivaient en procession du côté de Henuy.

— A la radio, dit Sylvie, ils ont annoncé du beau temps pour tout le mois. C'est rare !

1. Voir *Sylvie tend la perche.*

Mme Renaud haussa les épaules :

— A la radio, ils ne disent que des bêtises. Avec leurs instruments et tout leur fourbi, ils se trompent tout le temps. Ils feraient mieux de se taire ou d'acheter une grenouille ! Encore que, cette fois-ci, ça se pourrait bien : je ne sens pas mes rhumatismes. Bon. Maintenant, je vais voir pour le souper.

— Je vais t'aider, dit Sylvie.

Gambier alluma une cigarette, rêva. Il aimait cette sérénité, cette douceur. C'est peut-être très beau, le travail, très noble, mais au fond on passe onze mois par an enfermé, énervé, harcelé. Il ne s'agit pas de se plaindre, mais de constater. Aujourd'hui, la vie d'un homme manque de virilité. Boulot — voiture — dodo. Jour après jour. On s'ankylose. Sans parler de l'abrutissement de la télévision. Naguère, on chassait l'auroch. On allait en Terre sainte délivrer le tombeau du Christ. On se servait de ses muscles. On vivait, quoi. Les aurochs, toutefois, ne courent plus les rues. Et c'est idiot ce que je dis parce qu'en Terre sainte, actuellement, la vie est loin d'être drôle. J'en sais quelque chose[1].

Gambier bâilla. Il se sentait bien. Il est bon, de temps à autre, de faire le point. De mesurer son bonheur. Une femme sensationnelle — c'est le moins qu'on puisse dire ! Des gosses intelligents et

1. Voir *Sylvie au kibboutz*.

en bonne santé. Un job, tout compte fait, qui me plaît. Que demander de plus au Bon Dieu ? Rien, sinon une chose : que cela continue.

Un avion passa haut dans le ciel. Gambier le suivit des yeux, l'identifia : Boeing 717. Probablement un taxi de la Sabena. Gambier, une fois de plus, regretta vaguement d'avoir, moins souvent qu'avant, l'occasion de voler. Mais c'était, comme disait Sylvie, la rançon de la gloire... Gambier sourit. Une agréable odeur de sauce vint lui chatouiller les narines. Du coup, il eut faim.

— A table ! cria Sylvie.

Gambier déplia son grand corps et s'empressa. Les jumeaux étaient déjà assis devant leur assiette. Simba ne quittait pas Mme Renaud des yeux.

— Ils sont tous pareils, marmonna-t-elle, les hommes comme les chiens : ils ne pensent qu'à leur ventre ! Dans le fond, tant mieux, car ça n'arrive qu'aux vivants...

— Waf-waf ! dit Simba.

— C'est ça, approuva Mme Renaud. Demain, j'irai t'acheter un nonosse gros comme ça...

■

Le jeune curé revint le surlendemain.

— Tiens, dit Mme Renaud, revoilà notre curé.

Elle se tourna vers Gambier :

— Peut-être qu'il vient vous demander de servir la messe ?

— Cela m'est arrivé, dit Gambier. Mais cela fait déjà un bon bout de temps.

Le curé, toutefois, avait d'autres préoccupations. Après les salutations d'usage, il alla droit au but.

— Vous connaissez, demanda-t-il, l'abbaye de Tarques ?

— Et comment, dit Sylvie. J'y suis allée dix fois. C'était un but de promenade. On emportait des sandwichs et on pique-niquait dans les ruines. Tu te souviens, maman ?

— Oui, dit Mme Renaud. C'était le bon temps. Je dois encore avoir des photos quelque part. Mais asseyez-vous, monsieur le curé.

Le curé s'assit.

— Vous prendrez bien quelque chose ?

— Volontiers. Si vous avez du Coca ?

Mme Renaud le regarda. Un curé qui boit du Coca, on aura tout vu, je vous jure !

— Non, dit-elle. Mais du café, peut-être ?

Le curé souriait :

— Va pour le café !

Il se tourna vers Sylvie.

— Pour en revenir à Tarques. J'ai organisé là-bas — c'est la deuxième année — un camp de vacances. Une vingtaine de jeunes. Nous avons entrepris de restaurer l'abbaye. Du moins, en partie.

— Bonne idée, dit Sylvie. Mais quel boulot !

— Vous savez, la foi soulève les montagnes. Il règne là-bas une ambiance extraordinaire. Ils font tous les métiers : terrassiers, maçons, charpentiers. Il y a deux filles qui s'occupent de la cuisine. Alors, n'est-ce pas, j'ai pensé...

— Buvez votre café, intervint Mme Renaud, il va être tout froid.

A petites gorgées, le curé but son café, qui en réalité était brûlant.

— Fameux, apprécia-t-il.

— N'est-ce pas ? dit Mme Renaud. On n'en fait sûrement pas de meilleur au paradis !

— Sûrement, dit le curé. Mais je me suis laissé dire que là-haut, à présent, ils avaient commandé des caisses de Coca-Cola !

Mme Renaud, qui pourtant n'avait pas sa langue en poche, en demeura muette.

— Bon, reprit le curé. J'ai pensé, disais-je, que vous pourriez me donner un coup de main.

Sylvie et Gambier se regardèrent, surpris.

— Volontiers, monsieur le curé, mais je ne vois pas très bien...

— Vous allez comprendre. Il m'est impossible d'être tout le temps sur place. Il y a les offices, la cure, cent choses à faire... Par ailleurs, là-bas, ils s'entendent très bien. Mais il serait souhaitable néanmoins d'avoir — comment dire ? — un moniteur. Pas question de discipline militaire, évidemment, mais quelqu'un disposant d'une autorité naturelle, d'un certain prestige... Vous me suivez ?

— Pas à pas ! dit Sylvie.

Le curé vida sa tasse.

— Je sais bien, reprit-il, que je vous demande là une chose... Ne vous gênez surtout pas pour refuser. Mais, enfin, qui ne demande rien n'a rien. Ne me répondez pas tout de suite. Réfléchissez.

Il faisait son grand sourire, consultait sa montre, se levait.

— C'est fou ce que le temps presse. On devrait inventer des journées de trente heures ! Je file. Et merci pour le café, madame Renaud...

Il sautait dans sa vieille 2 cv grise qui démarrait, si l'on ose dire, dans un bruit d'enfer.

— Il n'est pas vite gêné, ce curé-là ! dit Mme Renaud. Je vous demande un peu...

— Il a raison, dit Sylvie. Je suis, moi aussi, pour le style direct. Qu'en penses-tu, Phil ?

Gambier fit la grimace.

— Merci bien. Les vacances, c'est les vacances. Je ne suis pas venu ici pour me faire terrassier, maçon et charpentier ! Il en a de bonnes, ton curé...

— Il ne s'agit pas de cela. Seulement de surveiller, de diriger. Ça peut être passionnant. Restaurer une abbaye, tu ne trouves pas cela formidable ?

— Pas du tout. Tu sais, moi, les abbayes... Ce que je trouve formidable, c'est de me tourner les pouces pendant un mois.

Il fit le geste de se tourner les pouces. Puis il s'étendit paresseusement dans son transat et ne bougea plus. Mais la curiosité était en Sylvie. Elle réfléchissait. Une équipe de jeunes, sympathique, dynamique. Une entreprise utile. Elle décida d'aller y voir de plus près.

— Ça te plairait, demanda-t-elle un peu plus tard, d'aller faire une petite balade ? Sans quoi, je sens qu'il va me pousser des racines…

Gambier ouvrit un œil inquiet :

— A pied ?

— Pas nécessairement, ô mon bel athlète. On prend la voiture et on roule un peu, au hasard…

— Ouais. Ce que c'est que d'avoir épousé une femme qui a la bougeotte…

— On ne vous a pas obligé, mon garçon ! intervint Mme Renaud. Vous avez assez couru après elle.

— Ce n'est pas une raison pour me faire courir toute ma vie !

— En voiture, dit Sylvie, tu ne risques pas l'épuisement. Lève ton grand corps, on y va.

Gambier obéit en soupirant.

Bien entendu, Sylvie avait sa petite idée.

— C'est magnifique, la nature, dit-elle. Les gens, ici, ne connaissent pas leur bonheur. Tourne à gauche…

— Pourquoi ?

— C'est une très chouette petite route en lacets. On a sur le village une vue superbe. Tu arrêteras au sommet. Tu verras.

La route grimpait durement. Gambier passa en

seconde. On roulait au cœur de la forêt.

— Parfois, dit Sylvie, on voit des biches et des lapins.

— Des lutins et des fées, enchaîna Gambier. C'est beau, l'âme poétique ! J'arrête ici ?

— Oui. Viens.

Ils descendirent de voiture. Le panorama était splendide. La vue portait à des kilomètres. Çà et là, dans la vallée, traînaient des bancs de brume. On voyait le clocher d'Ariennes, les toits de tuiles rouges. Une grande paix douce. Un grand silence. Puis un grillon fit son cri sec.

— J'avoue, dit Gambier, que c'est assez impressionnant. On se croirait presque en Provence ! Ce qui manque, ici, c'est un petit bistrot sympa où l'on servirait du pastis...

Sylvie sourit :

— Tu as raison : c'est beau, l'âme poétique ! Viens, on continue.

— Tout droit ?

— Tout droit. Jusqu'au bout du monde...

Le moteur de l'Alfa ronronnait allégrement. La route montait, descendait, remontait. Le ciel était bleu. Et bleue aussi l'humeur de Gambier... Hé oui, parfois, la vie est bien belle ! Adieu soucis, factures, téléphone et réveils brutaux au petit matin... On se demande ce qu'on attend pour instaurer le régime des six mois de vacances !

— Tu ne dis rien, dit Sylvie.

— Non. Je pense. Je me demandais pourquoi...

Il fronça les sourcils. Il venait d'apercevoir, à droite, le poteau indicateur : *Tarques-3 km.* Il regarda Sylvie, qui avait pris son air le plus innocent.

— Dis donc, toi...

— Oui, mon chéri ?

— Tu n'aurais pas, comme ça, par hasard, une petite idée derrière la tête ?

Sylvie se retourna :

— Derrière la tête ? Non, je ne vois rien.

— Et devant, qu'est-ce que tu vois ?

— Heu... un avenir plein de promesses ! Fonce, Alphonse, comme dirait Nathalie...

La 2 cv grise était là. Le curé vint à eux.

— Déjà ? Soyez les bienvenus...

Sylvie lui adressa un petit clin d'œil.

— On passait, dit-elle. On est venu dire bonjour. Mais c'est une vraie ruche bourdonnante, ici !

Des murs épais, recouverts de lierre, des colonnes, des vestiges d'une architecture romane et gothique.

— L'abbaye, expliquait le curé, fut fondée en l'an 1100 par les Bénédictins. Elle fut ensuite occupée par les Templiers puis, après la dissolution de l'ordre, par les Carmélites. Après la Révolution, elle fut transformée en forteresse, ce qui lui valut d'être démantelée et rasée par les Autrichiens. Il n'en reste que ce que vous voyez. Mais des pierres admirables. Et le site est grandiose. Nous avons déjà fait du bon travail. Venez voir...

Partout s'affairaient de jeunes garçons, bronzés, le torse nu. Ils poussaient des brouettes, portaient des étançons et des seaux pleins de sable.

— Voici le dortoir, disait le curé. C'était autrefois la distillerie. Les moines fabriquaient une liqueur dont le secret s'est perdu... Les filles, quant à elles, dorment au village. Le maire de Tarques nous a accordé un petit subside. Ce n'est pas le Pérou, mais on se débrouille. Vous savez, les gens sont gentils. On trouve toujours quelqu'un qui donne du ciment, des briques, des poutres. On trouve toujours quelqu'un qui accepte de transporter cela gratuitement.

— Je n'en doute pas, dit Sylvie, mais techniquement ?... Car enfin ce n'est pas rien !

— Non. Mais nous avons de la chance. Je veux dire que le Bon Dieu est avec nous. Non loin d'ici, habite un architecte retiré des affaires, M. Mahieu. Il vient presque chaque jour prodiguer ses conseils, surveiller les travaux.

— N'empêche, dit Gambier. Vous en avez au moins pour cinq ans...

Le curé sourit :

— Non. Au moins pour dix ans ! Quelle importance ? Restaurer l'abbaye n'a, pour moi, qu'un intérêt secondaire. Réel, mais secondaire. Ce que je veux, c'est occuper sainement des jeunes. Leur donner l'occasion de passer des vacances enrichissantes, plutôt que de traîner dans les bars. Vous me direz qu'ils ne sont qu'une poignée. Soit. Mais une poignée, c'est mieux que rien. Et puis j'espère qu'on pourra en accueillir trente l'an prochain, quarante l'année suivante... Vous voyez ?

Les lits de camp étaient alignés rigoureusement le long des murs. Les couvertures bien pliées, les sacs et les valises bien rangés.

— Pas mal, apprécia Gambier en connaisseur.

— Ça peut aller. Mais c'est cela le plus difficile à obtenir : un minimum de discipline. Ce n'est pas qu'ils soient de mauvaise volonté, au contraire. Mais ils sont jeunes, turbulents, impatients...

— Même de vrais matelas ! dit Sylvie.

— Oui. Et tout neufs, encore bien ! Offerts par le père d'un de nos garçons, un industriel...

— Tous sont étudiants ?

— Non. Il y a évidemment des étudiants. Mais aussi des ouvriers. Un mécanicien, un plombier... Je crois qu'il faut mélanger les jeunes de tous les milieux. Ainsi apprennent-ils à se connaître, à s'estimer. Jusqu'ici, d'ailleurs, il n'y a eu aucun problème... Et voici la cuisine. Et nos deux cuisinières : Annie et Janine.

Deux filles rieuses, toutes deux vêtues d'un tee-shirt bleu et de jeans. Mais, autant Annie était grande, blonde et musclée, autant Janine était menue, brune et vive comme une ablette.

— Bonjour, monsieur le curé ! dirent-elles en chœur.

— Bonjour, les filles. Qu'y a-t-il au menu ?

Ensemble, elles éclatèrent de rire :

— Des nouilles et du boudin... pour changer !

— Un pur délice ! dit le curé. Je tâcherai de trouver autre chose pour demain.

Il se tourna vers Sylvie et Gambier.

— C'est le seul problème, la nourriture. Le séjour ici est entièrement gratuit. Certains parents interviennent financièrement. D'autres ne le peuvent pas. Alors, forcément, ce n'est pas *La Tour d'Argent* !

— Tant mieux, dit Annie, pour ma ligne ! A propos, monsieur le curé, il n'y a plus guère de café. Et pour le sucre, c'est pareil !

— Je tâcherai aussi d'y songer, dit le curé. Il me faudrait une secrétaire !

Il y avait une grande table en bois blanc. Un réchaud alimenté par une bonbonne de butane, des piles d'assiettes et de bois. Tout était très propre.

— Monsieur et madame dînent avec nous ? demanda Janine.

— Heu..., fit Gambier.

— Avec plaisir, dit Sylvie. J'adore les nouilles et le boudin ! On ne vous prive pas, au moins ?

— Pensez-vous. Ici, on partage tout.

— Et ta mère ? demanda Gambier qui n'avait pas, lui, un goût immodéré pour les nouilles et le boudin.

Sylvie haussa les épaules :

— Tu feras un saut à Ariennes, Phil. Tu lui diras que nous sommes invités. Tu en profiteras pour surveiller le repas des jumeaux !

Gambier dut bien se résigner.

Ils continuèrent la visite du chantier. On entendait chanter les oiseaux. Les garçons hissaient au sommet d'un mur des plaques de plastique ondulé.

— Ils installent le toit de la salle de jeux, expliqua le curé. Du provisoire, évidemment. Mais c'est urgent, car dans ce pays, malheureusement, il pleut souvent. Nous avons déjà une autre salle, mais trop petite. Elle servira désormais de bibliothèque.

Un peu plus loin se dressait une grande tente en toile blanche.

— La chapelle, dit le curé. Je dis la messe tous les matins à six heures. Chacun est libre d'y assister. Je ne demande pas à mes garçons s'ils sont catholiques ou communistes. Je leur demande seulement s'ils sont disposés à travailler. Je m'efforce aussi de mélanger les nationalités. Il y a des Français, des Belges, deux Italiens. Nous attendons un jeune Allemand qui doit arriver ces jours-ci...

— L'Europe unie, quoi ! dit Sylvie.

— Oui. Je suis convaincu que c'est par les jeunes qu'elle se fera. Ils n'ont pas les vieilles rancunes obstinées des adultes. Ni d'intérêts économiques plus ou moins avoués ! Ils sont généreux, spontanés. Excusez-moi, mais il faut de nouveau que je me sauve. On m'attend à Ariennes pour les confessions...

Gambier s'en fut avec lui. Sylvie sourit : ce curé-là, ce n'est pas un curé, c'est une bonne à tout faire ! Il faudrait être d'un égoïsme féroce pour refuser de l'aider. En attendant, je m'en vais donner un coup de main aux filles...

— Pensez-vous, dit Annie. Ça va très bien. Et puis vous allez vous salir.

Sylvie sourit :

— J'ai été girl-guide avant toi. Et hôtesse de l'air par-dessus le marché ! Moralité : ne fais pas tant d'histoires et passe-moi les assiettes...

Elles sympathisèrent tout de suite. Annie faisait son secrétariat. Janine préparait une licence de lettres. Quand elles apprirent que, de surcroît, Gambier était commandant aviateur, elles furent définitivement conquises. Elles le regardèrent, à son retour, avec une sorte d'admiration. Il en conclut en toute simplicité qu'elles avaient bon goût.

— Qu'a dit maman ? s'enquit Sylvie.

— Rien de spécial. Par contre, les jumeaux voulaient absolument venir et ont fait un ramdam de tous les diables...

Sylvie sourit :

— Bah ! ils auront encore souvent l'occasion.

Gambier la regarda. Elle avait un petit air goguenard qui en disait long. Gambier comprit que le plus clair de ses vacances à Ariennes il les passerait à l'abbaye de Tarques. Celle-là, je vous jure ! Mais, après tout, si cela lui fait plaisir... Il lui rendit son sourire.

Le dîner fut bruyant et joyeux. Les garçons affamés mangeaient à belles dents. Les plaisanteries fusaient. Une ambiance de camp scout. Ils avaient tous les dents blanches, le regard clair. Luigi ressemble vaguement à Adamo. Roger est roux comme un Irlandais. François a des lunettes rondes et bégaie légèrement. Il y a aussi Marcel, qui a l'accent de Liège. Et André, une armoire à glace. Et les autres...

Après le dîner, tout le monde se mit à la vaisselle, qui fut expédiée en deux temps et trois mouvements. Ensuite, ils allumèrent un grand feu et on s'installa en cercle. Luigi prit sa guitare et Janine chanta. Elle avait une voix un peu sourde, qui rappelait la voix d'Eva. *L'homme blanc dans l'église noire*. La nuit vint. Les branches crépitaient, crachaient parfois des gerbes d'étincelles. Mille étoiles brillaient dans le ciel. Luigi chanta en italien et recueillit de vifs applaudissements. Ils chantèrent aussi en chœur : *V'là le bon vent, v'là le joli vent*... Le curé chantait aussi. Il avait l'air presque aussi jeune qu'eux.

Une aventure passionnante, pensait Sylvie. Mieux : une magnifique expérience. Elle regarda Gambier. Il sentit ce regard, tourna la tête.

— Qu'en penses-tu ? demanda-t-elle.

Il sourit.

— Je pense que ça me rajeunit. Ça me rappelle le temps où je m'appelais *Chamois Romantique* !

— Oui, mais...

— Mais quoi ? Je te vois venir, avec tes gros

sabots…

Il soupira comiquement :

— Tu peux lui dire que c'est d'accord, à ton curé. Uniquement, d'ailleurs, parce que je trouve Janine bien mignonne !…

III

— Vous avez bien raison, dit Mme Renaud. C'est une bonne action. Le curé Lejeune, je me disais que c'était un drôle de curé. Tout compte fait, il se rend plus utile que l'ancien ! Faut dire qu'il devenait vieux, le pauvre...

— On pourra y aller aussi ? demanda Eric.

— Oui, dit Gambier. A une condition : il faudra travailler. Tout le monde travaille, là-bas.

Eric, légèrement refroidi, demeura rêveur.

— Moi j'y vais, dit Virginie. Je laverai la vaisselle. On prendra Simba avec nous.

— Waf-waf ! approuva Simba.

Ils reçurent ce matin-là la visite de Noëlle et de son mari. La jeune femme avait perdu son expression douloureuse, un peu traquée. Elle était au contraire rayonnante. Elle avait même un peu grossi et cela lui donnait un bel air de santé. Elle laissait toujours flotter librement, sur ses épaules, ses longs cheveux noirs. Jacques Lemarchand était pareil à lui-même : blond, souriant et plutôt timide.

— Comment va François ? demanda Sylvie. Et Nathalie ?

— On ne peut mieux, dit Noëlle. Quand je pense que c'est à vous que je dois tout cela, ce bonheur inespéré...

— Mais non, dit Sylvie. C'est le hasard. Ou, si vous préférez, le Bon Dieu !

— Dans la vie, dit Mme Renaud, on ne sait jamais ce qui va arriver. Heureusement, d'ailleurs !

Ils bavardèrent. De tout et de rien. Puis Noëlle et Jacques s'en furent.

— C'est tout de même vrai, dit Sylvie, qu'elle revient de loin. Tu te souviens, Phil ? Elle avait l'air d'un petit chat crevé... C'est bien la preuve qu'il ne faut jamais désespérer.

Avant le déjeuner, Sylvie tint à aller au cimetière. Gambier l'accompagna. Ils y furent à pied, sans hâte. Le chemin grimpait. Il y avait des coquelicots le long des talus. Une alouette tournait haut dans le ciel, ivre de son chant. Le petit cimetière d'Ariennes n'a rien de sinistre. Ni même de triste. Il est bordé de grands ifs et couvert de fleurs. La grille grinça faiblement. Les tombes étaient entretenues méticuleusement. Ils s'arrêtèrent devant celle de

M. Renaud. Le rosier grimpant déployait ses fleurs rouges. Papa... Il était passé dans la vie sans faire de bruit. Il souriait toujours avec bienveillance. Il tirait lentement sur sa pipe. Il avait le crâne rose et lisse, une couronne de cheveux argentés. Sa femme le houspillait sans cesse. — Voulez-vous bien ôter vos souliers, Emile ? Je viens juste de frotter le vestibule... — Emile, avez-vous bientôt fini de laisser traîner partout vos affaires ? Il ne protestait jamais. Il souriait. Il la connaissait. Il savait que ce n'était qu'une façade. En réalité, après tant et tant d'années, ils s'adoraient. Puis il était mort, comme il avait vécu : doucement, sans faire de bruit. Sylvie songea qu'elle donnerait beaucoup pour le revoir vivant. Juste quelques minutes. Le temps de lui dire : je t'ai fait parfois de la peine, pardonne-moi. Mais sache bien que je t'ai aimé très fort, très fort. Et beaucoup admiré. Ces choses-là sont impossibles. On ne le comprend que lorsqu'il est trop tard. Les parents, c'est un peu comme les meubles : on y est tellement habitué qu'on n'y prête guère attention. Et puis : ne fais pas ceci, ne fais pas cela. On trouve cela agaçant. Comme on trouve normal qu'ils fassent ce qu'ils font : après tout, ils sont là pour ça. Ils ne font que leur métier de parents. Comme la jeunesse est insouciante et parfois inconsciemment cruelle ! Oui, on ne comprend que plus tard. Que trop tard. Mais je suis sûre, mon petit papa, qu'en ce moment même tu me vois du haut du ciel, et que tu me souris...

Sylvie se pencha, arracha quelques herbes folles. Elle fit le signe de la croix.

— Viens, Phil.

Ils quittèrent le cimetière, refirent le chemin en sens inverse.

— C'est curieux, dit-elle. Bien sûr, j'ai conscience intimement qu'Eric et Virginie sont mes enfants, nos enfants, mais je ne me sens pas vraiment — comment dire ? — une âme maternelle. Il me semble, tiens, que nos parents étaient plus parents que nous ! Tu n'as pas, parfois, ce sentiment bizarre ? Quand je vois maman, que je me souviens de papa... C'est tellement différent.

Gambier sourit, réfléchit un moment.

— Si, peut-être. Mais je crois que cela tient à deux choses. D'abord, au rythme actuel de l'existence. On court toujours. Les gosses vont et viennent. Ils entrent et sortent en coup de vent. Ils ont un autre vocabulaire. Tout change très vite. Naguère, on restait davantage chez soi. Tout était plus lent, plus clos. Mais, dans le fond, je crois que les sentiments restent les mêmes. Il y a ensuite qu'on est soi-même jeune et dans le coup. Pris par mille choses. Tu sais, on ne prend vraiment conscience de la place de ses parents que lorsqu'on ne les a plus. Sans doute en va-t-il de même à l'inverse : on ne prend vraiment conscience de ses enfants que lorsqu'on ne les a plus. Je veux dire : lorsqu'ils sont partis, mariés à leur tour. Alors, on se retrouve seuls et vieillissants...

Il sourit de nouveau :

— Nous avons encore le temps !

Sylvie mit sa main dans la main de Gambier.

— Oui. Mais on dit que le temps passe vite. Je ne sens pourtant pas cela. Les heures et les jours passent vite, mais quand je me retourne... Il me semble que nous venons seulement de nous marier ! Cela doit être un des nombreux miracles de l'amour... A propos, m'aimes-tu ?

Il la regarda, un peu surpris. Elle eut un rire bref.

— Les hommes, dit-elle, ne comprendront jamais. Ils disent je t'aime une fois pour toutes et il faut le considérer comme définitivement acquis. Nous, nous voudrions que l'homme que nous aimons nous le répète sans cesse. Parce que nous avons besoin d'être sans cesse rassurées.

— Mais tu sais bien que...

— Bien sûr, je le sais. Mais ce qui va sans le dire va mieux encore en le disant. Seulement, vous n'y pensez même pas. Ou, si vous y pensez, vous estimez que c'est puéril, bêtement sentimental et en tout cas fort peu viril. Juste ?

— Il y a de ça, dit Gambier amusé.

Il s'arrêta et la retint. Il la regarda. Ce petit visage aigu, toujours frémissant. Ces quelques taches de rousseur. Elle plissait un peu les yeux, à cause du soleil. Elle souriait et ses dents étaient pareilles à des perles. Sylvie... C'est vrai qu'on s'habitue. Qu'on s'habitue à tout, même à l'amour.

Il ne faut pas. Je l'aime, pensa-t-il, brusquement ému.

— Je t'aime, dit-il.

Il se pencha, l'embrassa longuement. Puis elle se dégagea.

— Ouf ! Laisse-moi respirer ! Phil, la vie, c'est merveilleux... Dépêchons-nous. On va être en retard pour déjeuner.

Ils pressèrent le pas.

— Ah ! vous voilà, vous autres, dit Mme Renaud. Je me demandais où vous étiez passés.

— On est allés jusqu'au cimetière, expliqua Sylvie. Puis on a un peu flirté dans le chemin, en revenant...

Virginie sourit. Eric leva la tête.

— Flirté ?

— Oui, dit Sylvie. On ne peut pas ?

Eric regarda sa mère, puis son père. Puis il soupira et se remit à lire son *Salut les Copains*. Flirté, je vous demande un peu ! A leur âge. Et mariés. Décidément, les parents, c'est à n'y rien comprendre, parfois...

— Le curé Lejeune est encore venu, dit Mme Renaud. On ne voit plus que lui. Il a demandé que vous passiez le prendre. Sa voiture est en panne... Enfin, si on peut appeler ça une auto ! J'ai fait du lapin, ça vous va ?

Lapin. A ce mot magique, ils se retrouvèrent tous assis à table d'un même élan. Il faut dire que le lapin était l'une des nombreuses spécialités de Mme Renaud. C'était succulent.

— Du temps de votre père, expliqua Mme Renaud, on les élevait nous-mêmes. Je ne sais pas si tu te souviens, Sylvie ?... Ils étaient bien meilleurs. Mais moi toute seule, j'ai abandonné. Je n'ai pas le courage de les tuer. Pauvres petites bêtes...

Sylvie se mit à rire :

— Mais le remords ne te coupe pas l'appétit dès que c'est quelqu'un d'autre qui les tue ?

— Hé ! il faut bien manger...

— C'est vrai que c'est triste, dit Virginie. C'est si mignon, un petit lapin...

— Si tu ne veux plus le tien, dit Eric, tu peux toujours me le refiler.

Mais la tristesse de Virginie n'allait pas jusque-là.

— C'est la loi de la vie, dit Gambier. L'oiseau mange l'insecte et le chat mange l'oiseau.

— Et personne ne bouffe le chat ! dit Eric.

— Juste, dit Sylvie, en riant. Mais c'était une image. Je me souviens très bien, maman, de nos lapins. Le clapier se trouvait juste à côté des groseilliers. Il y en avait un gros, énorme, gris, qu'on appelait Patapouf. Je me souviens de tout. On avait aussi un petit étang, à l'époque, contre le mur du jardin. Avec une rainette qui nageait si bien qu'on l'avait baptisée Esther, en hommage à Esther Williams !

— C'est quoi, une rainette ? demanda Virginie.

— Une petite grenouille.

— C'est marrant, dit Eric. Moi, une rainette, j'aurais plutôt cru que c'était une petite reine ! Je me demandais bien, d'ailleurs, ce qu'elle fabriquait dans ton étang... Il y a encore du lapin ?

■

— Alors, monsieur l'abbé, dit Gambier en montrant la 2 cv, elle ne veut plus rien savoir ?

— Non, dit le curé Lejeune. C'est arrivé d'un coup.

— Vous permettez ?

Gambier s'assit au volant, tourna la clé de contact. Rien. Gambier alla lever le capot et, au premier coup d'œil, constata que le fil de la bobine était détaché. Il le remit en place.

— Voulez-vous essayer, à présent ?

Le curé essaya et, à sa grande surprise, le moteur se mit à ronronner.

— Ça alors, dit l'abbé. Il y a évidemment un certain nombre de choses qu'on n'apprend pas au séminaire. Par exemple que les aviateurs étaient, eux aussi, capables de faire des miracles !

— C'est normal, dit Gambier en riant. A force de fréquenter le ciel, n'est-ce pas ? Passez devant, monsieur le curé.

La 2 cv démarra devant l'Alfa. Les connaissances techniques du curé, en matière automobile, étaient sans doute très réduites, mais cela ne l'empêchait pas de rouler à tombeau ouvert. Du moins dans les limites de la puissance de son bruyant engin. Dès qu'on aborda la côte, en effet, Gambier passa en seconde et rongea son frein avec philosophie.

— Quelles tortues, ces 2 cv, dit Eric. Moi, plus tard, j'achèterai une Porsche.

— Deux, précisa Gambier. Une jaune pour la semaine et une rouge pour le dimanche !

Eric, vexé, n'insista pas.

Ils furent bientôt à Tarques. L'heure de la sieste s'achevait et tout le monde se préparait à reprendre le travail. Eric et Virginie recueillirent un bref succès de curiosité. Par contre, Simba fut accueilli chaleureusement. Simba par-ci, Simba par-là. Comme il est beau. Comme il pointe bien. Comme il court vite. Je connais des tas de gens qui attraperaient un gros cou pour moins que cela. On comprendra que Simba s'en trouvât légitimement flatté. Bombant fièrement le poitrail et portant haut la queue, il entreprit d'explorer systématiquement le sentier.

— Le commandant Gambier et sa femme, annonça le curé à la cantonnade — et en insistant sur le mot commandant — ont bien voulu accepter de nous aider. Vous voudrez bien, quant à vous, considérer qu'en mon absence ils détiennent l'autorité.

Les garçons regardèrent Sylvie et Gambier — Gambier surtout — avec une certaine méfiance.

Un commandant ? Allait-on devoir, à présent, marcher au pas et se mettre au garde-à-vous ? Mais Gambier savait s'y prendre. Il sourit et retroussa ses manches.

— Allons-y, les gars, dit-il. Montrez-moi ce que vous avez fait. Et dites-moi ce que je peux faire. Au boulot, Eric !

Eric, plein de bonne volonté et conscient de l'importance de son rôle, suivit son père. Il était d'ailleurs sizenier chez les Castors[1] et fort capable de rendre des services. La glace fut vite rompue. Constatant que Gambier ne le prenait nullement de haut, et mettait lui-même sérieusement la main à la pâte, les garçons le trouvèrent sympathique et acceptèrent tacitement son autorité. Eric s'était mis dans la chaîne et passait les briques.

— Il est costaud, le petit ! dit Luigi en riant. On en aurait dix comme lui, on verrait le mur monter à vue d'œil !

Son accent italien chanta comme une caresse aux oreilles d'Eric, qui redoubla d'ardeur.

Dans la cuisine, les filles assumaient la corvée patates. Virginie épluchait sans relâche, avec l'application qu'elle mettait à tout faire.

— Je vous jure, dit Annie en riant, après un séjour ici, on se sent de taille à élever dix enfants !

— Tu es fiancée ? demanda Sylvie.

— Nenni. Je me sens de taille, mais je ne suis

1. Voir *Sylvie et la dent d'Akela.*

pas tellement pressée ! Ce n'est pas comme Janine. Elle, elle a déjà un amoureux...

Sylvie regarda Janine, qui rougit faiblement et haussa les épaules.

— Ce n'est pas vrai, dit-elle. Enfin, ce n'est pas de ma faute...

— C'est Roger, expliqua Annie. Il n'arrête pas de la reluquer. Un amoureux transi, même ! On ne peut pas dire qu'il soit très beau, mais enfin c'est mieux que rien. Vous allez sûrement le voir arriver. Il trouve toujours un prétexte pour venir ici

— C'est assommant, dit Janine.

Annie riait :

— Que tu dis ! D'ailleurs, quand on parle du loup...

Un garçon d'une vingtaine d'années entrait dans la cuisine. Il était long et maigre, avec des cheveux blonds frisés et une pomme d'Adam qui saillait. Il avait l'air, à la fois, décidé et intimidé.

— Excusez-moi, dit-il. J'ai une de ces soifs. Je peux avoir un peu d'eau ?

Janine demeurait les yeux fixés, obstinément, sur la pomme de terre qu'elle était en train d'éplucher.

— Mais comment donc, dit Annie. Je vais te donner ça, mon petit Roger. C'est fou ce que tu peux en avaler, de l'eau. Tu dois avoir une éponge à la place de l'estomac !

Elle riait toujours. Le garçon avait un pâle sourire. Il portait le gobelet à ses lèvres. Il regardait Janine avec une sorte de ferveur douloureuse, mais elle ne leva pas les yeux. Il posa enfin le gobelet sur la table.

— Merci, dit-il.

— Il n'y a pas de quoi, dit Annie. Et à bientôt, assoiffé !

Le garçon s'en fut.

— Vous avez vu ? demanda Annie. Ce n'est pas de l'amour, ça ? Dommage qu'il ressemble à un mouton tondu !

— Tu n'es pas très gentille, dit Sylvie.

— Mais si. Je dis ça, c'est pour rire. Sacré Roger ! Et il lui envoie des billets en cachette, des poèmes. Attendez, que je me souvienne... J'y suis : *Tes yeux dans la nuit, ô Janine — Sont les étoiles qui dominent...* Ça ne vaut pas Musset, mais enfin... Marrant !

— Tais-toi, dit Janine. Au fond, il me fait pitié. Il est gentil. C'est un pauvre type. Mais qu'y puis-je ? Je ne fais rien pour l'encourager, au contraire.

— Les grandes amours, plaisanta Annie, sont toujours contrariées et malheureuses, tout le monde sait ça.

— Pourquoi, demanda Sylvie, dis-tu que c'est un pauvre type ?

— D'après ce qu'on raconte, il n'est pas très heureux. Ses parents sont séparés et il vit avec sa mère. De plus, il a été très malade. M. le curé l'a pris ici pour le changer de milieu, pour lui faire faire un peu d'exercice.

— Il est étudiant ?

— Non, justement, il a dû abandonner. Il est vendeur dans je ne sais plus quel grand magasin.

Virginie écoutait en silence.

— Il ne faut pas, dit Sylvie, se moquer de lui.

— Parole, dit Annie, on ne se moque pas. Je rigole seulement quand il n'est pas là. D'ailleurs, au fond, on l'aime bien. Stop ! Pour les patates, ça suffit comme ça. Maintenant, on va ramasser du bois pour le feu de camp. Tu prends la brouette, Janine ?

Au passage, elles saluèrent les garçons au travail. Sylvie sourit en apercevant Gambier, torse nu, juché en haut d'une échelle et le front en sueur. Excellent pour sa ligne ! songea-t-elle. Elle fronça les sourcils en voyant Eric. Il était encore si petit. Mais Luigi lui adressa un clin d'œil complice et elle comprit que le jeune Italien se débrouillait pour faciliter la tâche d'Eric. Rassurée, elle poursuivit son chemin. Simba la vit et accourut.

On trouvait du bois mort en abondance dans la forêt toute proche. Elles en ramassèrent une pleine brouette. Le soleil chauffait durement.

— On se repose un peu ? proposa Annie. Après tout, on n'est que des faibles femmes !

Elles s'assirent dans l'herbe. Les épilobes, çà et là, mettaient des taches mauves. Les insectes bourdonnaient. Ça sentait bon la résine et le foin coupé. Sylvie observait Janine, qui suçait gravement une tige de coquelicot. Elle était jolie, frêle et gracieuse avec ses longs cheveux sombres et son petit visage de madone. On la devinait ardente, rêveuse et secrète. Tout le contraire, en somme, d'Annie qui, elle, était tournée vers l'extérieur, sociable et plutôt bavarde.

— Houtch ! disait-elle en se couchant de tout son long, ça c'est la vie... Les arbres, les fleurs et les petits oiseaux.

Elle se mit tout naturellement à tutoyer Sylvie.

— Tu es déjà venue dans ce coin ?

Sylvie sourit :

— J'y suis même née. A Ariennes. C'est à quelques kilomètres. J'y ai passé toute mon enfance. On venait à Tarques en promenade. Mais l'abbaye était alors complètement abandonnée.

— C'est un chouette pays, dit Annie. J'y suis déjà venue l'an dernier. Mais alors il a plu pendant quinze jours et on pataugeait dans la boue jusqu'au nombril. C'était moins drôle. On a quand même bien rigolé. L'abbé, c'est un type formidable...

Elle rit :

— L'homme que j'aurais dû épouser ! Pas curé pour un sou. Chacun fait ce qu'il veut. L'ambiance est extraordinaire, ici. On est vraiment tous copains. L'an dernier, il y avait deux Juifs et une Libanaise. On se disait : aïe, ça va faire des étincelles. Eh bien, pas du tout. Tous copains, bien franchement. Preuve qu'on peut toujours s'entendre et que la guerre est une saloperie inventée par des salauds qui y trouvent leurs intérêts !

— Tu raisonnes un peu court, dit Janine.

Annie haussa les épaules.

— Possible. Je ne suis pas une intellectuelle, moi, madame. Je ne me casse pas la nénette. Je prends le temps comme il vient et je me dis que tout s'arrange toujours. La vie est belle. Ce sont les tordus qui fichent tout en l'air...

Au fond, pensa Sylvie, elle ressemble assez à Chantal[1], physiquement et moralement. Des filles saines, simples et directes, qui ne se posent guère de questions et se trouvent dans la vie comme un poisson dans l'eau. Elles ont de la chance. Tandis que Janine est manifestement plus sensible, plus riche intérieurement, mais aussi plus vite angoissée.

Simba, accablé par la chaleur, haletait comme une locomotive sous pression. Annie se mit à rire :

— Ce chien-là, dit-elle, c'est un chien à vapeur ! Mon pauvre Simba, tu es comme ce pauvre Roger : tu crèves de soif ! Venez, on va lui donner à boire...

Ils ne dînèrent pas à Tarques. Sylvie entendait ne pas négliger sa mère et d'ailleurs Eric tombait littéralement de fatigue.

— Demain, dit Sylvie, tu resteras à Ariennes. Tu te reposeras.

Eric fit, pour ouvrir les yeux, un effort héroïque.

— Mais pas du tout, mamy. Je me sens très bien. Qu'est-ce que tu crois ?

1. Voir *Sylvie la bague au doigt*.

— Laisse-le, dit Gambier en riant. Ça lui fait du bien. Il est temps qu'il apprenne à travailler. Pour conduire une Porsche, il faut des muscles et des réflexes !

Gambier, lui, se sentait en grande forme, contrairement à ce qu'avait redouté Sylvie. Les reins un peu douloureux, mais la grande forme, oui.

— Rajeuni de cinquante ans ! dit-il. On s'ankylose. Rien ne vaut, pour se dérouiller, le travail manuel. J'aurais dû me faire maçon ! Et puis tous ces garçons sont très bien. Une bonne équipe. Vous voulez que je vous dise : j'ai une faim de loup !

Mme Renaud dressait la table.

— Tant mieux, dit-elle, ça vaut mieux que d'aller chez le docteur ! J'ai des œufs tout frais, qui viennent de la ferme. Je m'en vais vous faire une omelette dont vous me direz des nouvelles. Avec du lard fumé. Et j'ai du foie pour le chien.

— Waf-waf ! approuva Simba en agitant la queue.

Quelques minutes plus tard, la bonne odeur du lard envahit la pièce et cela plut davantage à Gambier que tous les parfums d'Arabie.

— Au fond, dit-il, c'est toujours à Ariennes que j'ai passé les meilleures vacances. Et que je mange le mieux !

Mme Renaud, flattée, rosit de plaisir.

— Il faut dire, ajouta Gambier, que des belles-mères comme la mienne, on n'en fait plus ! Venez, maman, que je vous embrasse...

Il saisit Mme Renaud par la taille, la souleva comme une plume et lui colla sur chaque joue un baiser sonore.

— Voulez-vous bien me laisser, grand sot ! protesta la vieille dame ravie. En voilà des manières... Je l'ai toujours dit, ma fille, ton mari c'est un drôle de coco !

Sylvie souriait. C'est vrai : comme dit Annie, la vie est belle. Il suffit de la prendre comme elle vient et de savoir en savourer les petites joies.

Eric bâilla soudain à se décrocher la mâchoire. Il jeta à sa mère un regard inquiet.

— Non, non, dit-il, je ne suis pas fatigué. C'est de...

Il eut de nouveau un bâillement irrépressible.

— ... de faim, conclut-il.

Là-dessus, il tomba endormi sur sa chaise, avant même que l'omelette fût servie.

IV

La chance voulut que le temps se maintînt au beau. A Tarques, faute de moyens appropriés, les travaux n'avançaient pas très vite, mais enfin cela progressait et la bonne humeur générale tenait lieu de bulldozer. Gambier constata bientôt que les garçons souffraient toutefois — sans d'ailleurs se plaindre — de ne pouvoir se baigner. On se lavait bien à grande eau, dans des seaux et des bassines, mais cela ne valait pas un bon bain. Quant à l'Orvette, le petit ruisseau qui passait juste à côté de l'abbaye, on pouvait tout juste s'y mouiller les pieds.

Gambier s'en ouvrit au curé Lejeune.

— Oui, dit l'abbé, j'y ai déjà songé. Ce serait joindre l'utile à l'agréable. Mais comment faire ?

— On pourrait, dit Gambier, barrer le cours de

l'Orvette.

— Vous n'y pensez pas. Vous avez vu l'encaissement ? Cela reviendrait, pratiquement, à priver d'eau les gens qui se trouvent en aval. Impossible.

— Alors, j'ai une autre idée. Venez voir, monsieur le curé.

Il conduisit l'abbé devant les vestiges d'une ancienne cave de bonnes dimensions.

— Vous comprenez ? On creuse un bon mètre. Une simple tranchée amène de l'eau empruntée à l'Orvette. Il faudra bien entendu bétonner le sol. Ce ne sera pas une piscine olympique, mais ils pourront néanmoins faire quelques brasses.

Le curé sourit :

— Ingénieux, mon commandant. L'œuf de Colomb ! Moi je veux bien. Mais peut-être devrions-nous demander l'avis de M. Mahieu.

M. Mahieu, l'architecte, venait au chantier presque tous les jours. Il avait le crâne rose, le visage poupin agrémenté d'une petite barbiche blanche et les yeux vifs. Ce vieux monsieur charmant, strictement vêtu à la mode ancienne — veste à carreaux et pantalon de golf, cravate et pochette assortie — était d'une politesse exquise. Il avait une chienne, une élégante dalmatienne fine et mondaine, nommée Cléo, à qui Simba — waf-waf ! — faisait une cour maladroite, enthousiaste et turbulente. Cléo, coquette, acceptait ces bruyants hommages d'un air parfaitement détaché.

— Mais je crois que c'est très faisable, dit M. Mahieu, consulté. Et même relativement facile si l'on considère la différence des niveaux. Le trop-plein reconduira l'eau dans l'Orvette. Vous n'avez plus qu'à creuser ! Je pense que le plus commode serait de…

Dès le lendemain, Gambier et une équipe de trois garçons se mirent au travail, à grands coups de pelles et de pioches. Ce boulot de terrassier était exténuant mais — comme disait l'abbé Lejeune — la foi, qui soulève les montagnes, aide également à creuser les piscines… De même que l'entrain communicatif de Luigi, qui toute la journée chantait au soleil comme une cigale.

Chaque jour, et souvent même plusieurs fois par jour, Roger trouvait de nouveaux prétextes pour venir à la cuisine. Et visiblement, il devenait chaque jour plus amoureux de Janine. Il la contemplait avec une sorte d'admiration muette. Cela finissait par devenir gênant. Et l'on eût dit que plus la jeune fille feignait ne rien voir, plus le garçon s'accrochait à l'espoir.

Annie riait :

— Têtu, hein, l'amoureux ? Il devrait pourtant comprendre.

— Je vais essayer de lui parler, proposa Sylvie. Discrètement…

L'occasion lui en fut donnée le lendemain. Roger, exténué, se reposait dans l'herbe à l'ombre du grand chêne. Sylvie alla tout naturellement à lui.

— Salut, Roger. *Que calor !* Cela finit par devenir insupportable. Remarquez qu'on rouspète toujours : quand il pleut, on rêve de soleil ; et quand le soleil est là, on se plaint de la chaleur.

Elle s'assit dans l'herbe à côté de lui.

— Vous êtes déjà venu à Tarques ?

— Non. C'est la première fois.

— Vous êtes vendeur, je crois ? Ça vous plaît ?

Il haussa les épaules :

— J'aurais voulu être médecin. Alors, n'est-ce pas... Il faut bien gagner sa vie. Faire ça ou autre chose...

— Vous savez, on peut toujours faire son trou. Partout. Il suffit de vouloir. De travailler.

Il eut un petit sourire un peu amer.

— On dit ça. Il y a des types qui ont de la chance. Qui sont nés coiffés. Moi pas. Moi, quand je m'occupe de quelque chose, ça rate toujours...

— Absurde, dit Sylvie. Ça n'existe pas. C'est vous qui vous mettez cela dans la tête, mais c'est sans fondement. Je sais, les gens envient la belle jeunesse insouciante, alors qu'en réalité rien n'est facile pour les jeunes... Mais, par contre, tout est relatif. Ainsi, vous, vous auriez voulu être médecin et vous êtes vendeur, donc déçu. Vous êtes toutefois en bonne santé, sans grands problèmes et en train de vous dorer au soleil à Tarques... Pendant ce temps-là, il y a au Viêt-nam, au Cambodge, en

Israël, d'innombrables jeunes de votre âge qui se font tuer ou mutiler atrocement... Alors ?

Il regarda Sylvie. Il avait les yeux d'un bleu très pâle, comme délavés.

— Possible, dit-il. Quand on se met à réfléchir, évidemment... Mais on ne passe pas sa vie à réfléchir. On passe sa vie à vivre. Et la mienne, de vie, n'est pas drôle du tout. Je suis toujours tout seul. Si vous croyez que c'est gai... Il y a bien ma mère, mais enfin c'est ma mère et elle travaille tout le temps.

— Vous avez bien des amis comme tout le monde ?

— Non. De vagues copains, oui. Mais je n'ai pas les moyens de fréquenter les boîtes à la mode. Je déteste le jerk et je n'ai pas de voiture.

— Tous les jeunes n'ont pas une voiture et ne passent pas leurs soirées à jerker ! Vous le savez bien, Roger.

Il la regarda, hésita.

— N'empêche, dit-il, que les filles préfèrent sortir avec ces types-là.

— Mais ce n'est pas vrai ! Vous mettez tout le temps tout le monde dans le même sac. Il existe beaucoup de filles sérieuses qui s'intéressent aux valeurs sérieuses.

Il fit une moue dubitative.

— Vous êtes amoureux de Janine, n'est-ce pas ? attaqua Sylvie.

Il sursauta.

— Moi ? C'est-à-dire que...

Sylvie sourit :

— Ne protestez pas, Roger : cela crève les yeux ! Dans ce domaine-là, les femmes devinent tout tout de suite. Toutefois, vous n'êtes pas amoureux de Janine. Vous croyez l'être.

Il ne répondit pas. Il se mit à contempler avec une extrême attention la pointe de ses chaussures.

— A votre âge, reprit Sylvie, on est amoureux de l'amour. Besoin de chaleur, de tendresse. On joue volontiers les caïds mais, dans le fond... Si bien qu'on se met à rêver devant la première fille venue. A fortiori si, comme Janine, elle est jolie. Et surtout qu'elle, justement, elle est sérieuse. Si elle était de ces petits boudins qui sortent avec tous les garçons, vous ne la regarderiez même pas. Vous la mépriseriez. Juste ?

— Juste, admit-il.

— Bon. Alors comprenez qu'elle ne veut pas, pas encore, se laisser aller à ces choses-là. Pour elle, l'amour est une chose grave et importante. Mais elle n'a pas encore vingt ans. Elle ne songe qu'à ses études... Chaque chose en son temps, Roger.

— Elle me trouve moche, c'est tout.

— Vous êtes fou, mentit Sylvie. Mais vous la regardez de telle manière que cela la gêne. Alors, forcément, elle se replie, se détourne... Pourquoi simplement ne pas être copain avec elle, comme les autres ? Vous allez me répondre que vous l'aimez.

Non. L'amour vient lentement. Il y a d'abord l'amitié. L'amour vient à son heure. Vous lui faites peur, à Janine ! Elle n'est pas prête pour cette grande aventure. C'est encore, presque, une petite fille... Ce qui doit arriver arrive toujours. Il faut laisser les choses se faire, évoluer naturellement. On détruit tout, à vouloir tout précipiter...

Elle sourit :

— Croyez-en ma vieille expérience !

— Mais dans trois semaines elle retourne chez elle et moi chez moi...

— Nous y voilà, enfant que vous êtes ! Vous la connaissez à peine. Dans trois semaines... Mais vous avez toute la vie ! Si c'est là votre destin, vous la reverrez aux prochaines vacances. Cela paraît bien entendu le bout du monde. Mais précisément, Roger, le monde ne s'est pas fait en un jour ! Peut-être même allez-vous l'oublier aussitôt, Janine...

— Non, dit-il avec une sorte de violence contenue.

— Alors, si vous ne l'oubliez pas, c'est que ce sera l'amour. Ce qui est sûr, c'est que vous vous reverrez si vous devez vous revoir. En attendant, laissez-la... Laissez-la suivre sa route. Vous croyez en Dieu ?

— Je ne sais pas. Parfois oui. Parfois non.

— Voyez-vous, Roger, le Bon Dieu sait bien ce qu'il fait. Il faut avoir confiance. Et, surtout, le courage d'être un homme. Il faut aussi, espèce d'idiot, oublier vos complexes ridicules !

— Je me rends tout de même bien compte que je ne suis pas Alain Delon…

— Vous trouvez qu'il y a beaucoup de garçons qui ressemblent à Alain Delon ? Et puis, dites donc, pour qui nous prenez-vous ? Pour des imbéciles ? Nous n'attendons pas, de l'homme que nous aimons, qu'il ressemble à Alain Delon. Nous attendons de lui un certain nombre de qualités essentielles. Ce culte de la beauté est artificiel et nous n'en sommes pas dupes. Puisque nous parlons de vedettes, je vous dirai que personnellement je préfère Anthony Quinn à Alain Delon. Lui, au moins, c'est un homme ! Alors ?

Il sourit :

— Vous avez peut-être raison.

— J'ai souvent raison ! Vous êtes un garçon sympathique, Roger. N'allez pas gâcher tout cela en vous conduisant puérilement, sinon bêtement, et en ruminant des idées stupides…

Elle rit :

— Ciel ! mon mari…

C'était Gambier, en effet, bronzé comme un bonze.

Il rit aussi :

— Hé ! je vous y prends, tous les deux ! Vous n'avez pas vu l'abbé ? Je le cherche partout.

— Qui cherche trouve, dit Sylvie en se levant. Retenez ce que je vous ai dit, Roger. Là-dessus, *ciao*, je retourne dans ma cuisine…

Roger, pensif, alla rejoindre ses camarades. Sylvie s'en fut en compagnie de Gambier.

— Qu'est-ce qu'il a ? demanda Gambier. Des ennuis ?

— Tu sais bièn. Je t'en ai parlé. C'est lui qui est amoureux de Janine.

Gambier haussa les épaules :

— Des histoires de gosse...

— Ça ne l'empêche pas de souffrir. Et puis il est bourré de complexes.

— Que lui as-tu dit ?

— N'importe quoi. Qu'elle était trop jeune. Qu'elle ne pensait qu'à ses études. Qu'il la reverrait sans doute l'an prochain. Que l'amour ne vient pas d'un coup, mais se mérite lentement...

— En somme, un tas de carabistouilles ! Ah ! voilà l'abbé...

Il se mit à courir. Un tas de carabistouilles ? Oui. Oui et non. On ne sait jamais. L'important est de ne pas désespérer Roger.

— Tu lui as parlé ? demanda Annie.

— Oui. Je lui ai dit de laisser aller les choses. Je crois qu'il a compris.

— Tant mieux, dit Janine. Moi, je ne demande pas mieux qu'on soit copains, comme avec les autres. Mais de là à...

— L'amour, toujours l'amour ! dit Annie en riant. Merci bien. On ne mange plus, on ne dort plus, on devient tout pâle et tout maigre ! Encore que moi, j'ai des réserves... Et tout ça, pourquoi, je vous le demande ? Pour y gagner un mari qui ronchonne, des chemises à repasser, des chaussettes à ravauder et par-dessus le marché des moutards qui vous font une vie d'enfer ! Remarque que je ne dis pas ça pour toi, Virginie... Toi, tu es l'exception. Ton père est l'exception. Ta mère est l'exception. Ton frère est l'exception. Ton chien est l'exception ! Quelle famille, ces Gambier ! A propos, ça avance, cette piscine ? Parce que depuis le temps que je ne me lave plus dans les coins, faudra bientôt me décrasser au tampon Jex ! Vous croyez qu'il y a assez de salade comme ça ? J'ai déjà enlevé quatre chenilles. Il doit sûrement en rester quelques-unes. Bah ! après tout, c'est de la viande... A présent, mes enfants, attaquons les tomates...

■

L'orage éclata dans la soirée, sans crier gare. Il fallait s'y attendre. Il faisait trop chaud, trop lourd. En un instant le vent se leva, les nuages crevèrent et la pluie se mit à tomber avec une violence inouïe. On eut juste le temps de fermer les fenêtres.

— Mes pauvres géraniums ! soupira Mme Renaud.

— Mon pauvre Simba ! soupira Sylvie.

— Où est-il, celui-là ? demanda Gambier.

— Il fait dans le village sa petite promenade digestive, expliqua Sylvie. Il va sûrement rentrer ventre à terre : il a horreur de l'eau.

Simba, en effet, fut là presque tout de suite, crotté du bout du museau au bout de la queue et trempé jusqu'à l'os.

— Pauvre bête, oui, dit Mme Renaud. Tiens, je m'en vais te donner...

Elle se tut, horrifiée. Simba allait se planter au beau milieu de la cuisine et s'ébrouait voluptueusement en toute sérénité. Il y eut de l'eau et de la boue sur les meubles, sur les murs et partout jusqu'au plafond.

— Ça alors, dit Mme Renaud. Je vous demande un peu. Mais quel malhonnête ! Je n'ai jamais vu un chien comme ça, moi... Vous avez vu ?

Gambier et les jumeaux riaient.

— Il est très intelligent, dit Gambier, mais on n'a pas encore réussi à le convaincre de s'essuyer les pieds avant de rentrer !

— Vous pouvez bien rire, dit Mme Renaud. C'est malin. Ce n'est pas un chien, ça : c'est une catastrophe. Et, en plus, il fume !

C'était vrai : une sorte de vapeur légère s'échappait de l'épaisse fourrure de Simba qui, ravi d'être à l'abri, s'était allongé de tout son long et fermait à demi les yeux.

— Il fume même trop, dit Gambier qui s'amusait beaucoup. A son âge, c'est malsain. Il devrait se mettre à la pipe ! Encore heureux qu'il ne boive pas de whisky...

Sylvie, armée d'un torchon, s'employait déjà à réparer les dégâts.

— Et le comble, dit encore Gambier, c'est qu'il refuse de prendre un parapluie. Il trouve que ça fait bourgeois.

Un long coup de tonnerre fit trembler les vitres. Le vent redoubla de violence. Les jumeaux, pas rassurés du tout, se terraient dans leur coin.

— A Tarques, dit Sylvie, ça doit être joli.

Gambier fronça les sourcils.

— Ça me fait penser... La toiture n'est fixée que provisoirement. Pourvu qu'elle tienne le coup. Bon Dieu, je vais y voir...

Il se leva, chaussa ses bottes.

— Vous venez avec moi, les moucherons ?

— Heu..., fit Eric.

— Heu..., fit Virginie.

Gambier sourit :

— Compris. Courageux, mais pas téméraires. Je reviens tout de suite...

Seul Simba voulut suivre son maître.

— Ah ! non, protesta Mme Renaud, pas lui. Une fois, ça va, mais pas deux !

Sylvie retint Simba qui, furieux, se mit pour se venger à hurler — hou... hou... — à la manière des loups.

— Quel chien, soupira de nouveau Mme Renaud. Mais quel chien. Ce n'est pas pour dire, je l'aime bien. Mais un canari, c'est tout de même moins encombrant !

Le vent était si violent que Gambier devait tenir le volant fermement, à deux mains. Les essuie-glaces suffisaient à peine à la tâche. De temps à autre, un éclair déchirait le ciel et le spectacle de la forêt brièvement illuminée était impressionnant.

A Tarques régnait la plus grande confusion et la plus grande agitation. Ainsi que Gambier l'avait redouté, le vent avait emporté la toiture toute neuve de la future salle de jeux.

— Il y a eu oune terrible craquement, expliqua Luigi. Et pouis tout il a fichou le camp !

Les plaques de plastique, légères, s'étaient envolées dans la nature et tout le monde courait en tous sens à leur recherche, sous la pluie diluvienne. Quelques garçons étaient armés de torches électriques. On entendait des cris, des rires et de temps à autre — mais il faut tenir compte des circonstances atténuantes — quelque juron retentissant.

Le curé Lejeune survint à son tour.

— Quel temps, dit-il. C'est sûrement le déluge. J'ai bien cru que je n'arriverais jamais ! Comment cela se passe-t-il, ici ?

On le mit au courant. Il fit la grimace.

— Qu'en pensez-vous, mon commandant ?

Ils se regardèrent. Ils avaient les cheveux collés sur le front, le visage ruisselant et l'eau leur coulait du nez comme d'un compte-gouttes affolé. Ils se mirent à rire.

— Je pense, monsieur le curé, dit Gambier, qu'on n'a pas le choix. On doit absolument récupérer ces maudites plaques. *Sursum corda !*

Ils s'enfoncèrent dans la nuit, pataugeant dans la boue, se cognant aux branches des arbres, trébuchant contre cailloux et racines. Et dire, pensa Gambier, qu'on appelle ça des vacances ! Ce fut long et laborieux. Finalement, on réussit à retrouver toutes les plaques, même celle qui avait eu la perfidie de chercher refuge presque au sommet d'un chêne, et qu'un des garçons s'en fut cueillir avec l'agilité d'un singe.

— Ouf, dit l'abbé, qui ressemblait plus à un bloc de terre glaise qu'à un prêtre. Il ne nous reste plus qu'à recommencer.

A ce moment-là, l'orage cessa d'un coup, comme il avait commencé. Les nuages se déchirèrent. On revit la lune ronde et les étoiles.

— Après la pluie, le beau temps, dit Gambier. C'est bien connu. Dormez bien. Demain, il s'agira d'en mettre un coup.

Les garçons allèrent se débarbouiller avant de regagner le dortoir.

— Mon Dieu, dit Sylvie, un monstre préhistorique !

Mme Renaud se précipita :

— N'entrez pas, malheureux ! Otez d'abord vos bottes...

Gambier s'exécuta.

— Et il est tout mouillé, dit Mme Renaud. Ça coule de partout. Quelle affaire.

— Si vous voulez, suggéra aimablement Gambier, je peux me mettre tout nu ?

— Surtout pas, dit Mme Renaud. J'ai déjà vu assez d'horreurs pendant la guerre. Tenez, essuyez-vous avec ça...

Finalement, Gambier fut autorisé à entrer. Il avait de la boue jusque dans les oreilles.

— Et avec ça, dit Mme Renaud, il est encore bien capable d'attraper un rhume. Rien que pour nous ennuyer ! Je vais lui faire du thé...

— Du thé ? s'inquiéta Gambier avec un frisson de dégoût. Je préfère encore la pneumonie ! Vous me proposeriez un petit verre de cet alcool de poires, ça, je ne dirais pas non... Juste pour vous faire plaisir.

Mme Renaud regarda sa fille, puis Gambier, puis de nouveau sa fille.

— Et ivrogne, en plus ! Manquait plus que ça. Je vais même vous donner un grand verre, mon garçon, puisqu'on dit que l'alcool tue !

Elle s'en fut, en trottinant, chercher la bouteille. La bouteille que, pourtant, elle réservait pour les grandes occasions. Mais, en dépit des escarmouches verbales qui sans cesse la mettait aux prises avec Gambier, elle était incapable de lui refuser quoi que ce fût.

Gambier savoura son verre d'alcool à toutes petites gorgées expertes. C'était délicieusement parfumé.

— Les couleurs lui reviennent, constata Mme

Renaud. Ce n'est pas encore cette fois que tu en seras quitte, Sylvie... Vous savez quoi ? Je prendrais bien une petite goutte, moi aussi, grand égoïste !

V

Le curé Lejeune avait invité Sylvie et Gambier à venir boire, chez lui, le verre de l'amitié.

— Et pas nécessairement du vin de messe, avait-il ajouté en souriant.

La cure était située non loin de l'église. Il y avait d'abord un jardinet avec des pivoines et des glaïeuls. Une porte de chêne avec des sculptures pseudo-gothiques. Sylvie sonna. Une dame vint ouvrir. La cinquantaine. Toute rose, les cheveux tout blancs. Elle souriait et se tenait les mains à hauteur de la poitrine. En la voyant, Sylvie songea — Dieu sait pourquoi — à de la crème fraîche.

— Jean va revenir tout de suite, dit-elle. Il a dû s'absenter brusquement. Je suis sa maman. Donnez-vous la peine d'entrer.

Cela sentait l'encaustique et la soupe aux choux.

Le bureau du curé était vaste et on avait vue sur les pommiers.

— Asseyez-vous, dit Mme Lejeune. Faites comme chez vous.

Elle avait l'air un peu timide. Elle refit son sourire et se retira sur la pointe des pieds. Il y avait des livres un peu partout. Sur la cheminée, dans des cadres chromés, deux photos. L'une représentait un monsieur d'aspect sévère, moustachu, qui devait être M. Lejeune ; l'autre le petit Jean Lejeune en uniforme de scout. Dans le coin, un grand pot en grès brun, avec une énorme fougère dont les feuilles commençaient à roussir. Ils n'attendirent pas longtemps. Le curé entra en coup de vent.

— Excusez-moi. Vous savez, un curé, c'est un peu comme un médecin : il a ses urgences. Je vais chercher la bouteille.

Il alla chercher le Riesling et les verres.

— Et voilà. Quelle chaleur. Ça doit faire des années qu'on n'a plus connu un temps pareil. A votre santé.

Le vin était sec et frais à souhait. Le curé s'assit à son bureau. Il avait vraiment, pour un curé, l'air très jeune !

— Quel âge avez-vous, monsieur le curé ? demanda Sylvie.

Il se mit à rire !

— Trente-deux ans. Pourquoi ?

— Parce que, d'habitude, les curés...

— Oui. J'avais le choix. Ou vicaire à la ville ou

curé à Ariennes. J'ai préféré la campagne. Les gens sont plus simples, plus vrais. Au début, cela n'a pas été tout seul. Vous savez comme ils sont méfiants. J'étais l'étranger. Et puis, petit à petit... Je crois bien qu'ils m'ont adopté. Même les communistes ! Car nous avons nos communistes. Je me demande d'ailleurs s'ils savent exactement pourquoi, et ce que cela signifie. Cela ne les empêche d'ailleurs pas de participer à la procession et j'en vois plusieurs à la messe chaque dimanche. Ce sont de braves gens. Au fond, ici, c'est un peu comme Peppone et Don Camillo... Cigarette ?

Sylvie et Gambier prirent une Gauloise.

— Au fond, dit Gambier, on prétend que la société se déchristianise. Cela semble faux. Du moins en province.

Le curé eut une brève hésitation.

— Défions-nous des mots. Je ne crois pas que les gens cessent de croire en Dieu. Mais ils ne croient plus — surtout les jeunes — aux bondieuseries. Ils ne sont plus ni naïfs ni bigots. Jusqu'il y a peu, on leur présentait encore Dieu comme on le présentait aux gens du Moyen Age. Ils ont dit : pouce, on ne marche plus ; rangez vos pieuses images d'Epinal et parlons entre hommes. C'est ce qu'a compris l'Eglise. Il y a évolution. Mais une évolution lente et prudente. Dieu n'est plus un terrible vieillard assis sur un nuage et nanti d'une longue barbe — Dieu merci ! De même, les rapports du prêtre avec les gens ont changé. Nous ne sommes plus les dépositaires d'un mystère inquiétant et redoutable. Nous traitons d'égal à égal, en essayant d'aider ceux qui ont besoin d'être aidés... C'est-à-dire, en somme, presque tout le monde. Et singulièrement les jeunes. Les autres, quand ça ne va pas, marmonnent trois *Pater* et trois *Ave* en demandant au petit Jésus de leur envoyer la pluie ou le soleil et, si ça se trouve, de les faire gagner à la Loterie Nationale. Bien entendu, les jeunes ne mangent pas de ce pain-là. Ils ont acquis une lucidité qui, tout compte fait, les laisse perplexes. Où aller ? Dans quelle direction se diriger ? D'où la fameuse contestation. La saine révolte contre l'hypocrisie et l'injustice, la guerre, le racisme...

Il sourit :

— Non, être jeune n'est pas facile, de nos jours. Tout le monde ne peut pas se faire curé !

— Parce que c'est plus facile ? demanda Sylvie.

— Oui et non. Oui parce que, au moins, on est sur ses rails. On a la foi. Non parce qu'on se dit parfois, aux heures de découragement — qui n'en a pas ? — que cela doit être bon et réconfortant d'avoir un foyer, des enfants... Hé ! on ne peut tout avoir.

— Vous avez votre maman.

— Oui. Elle est merveilleuse. Mais elle a une âme et un cœur de jeune fille ! Mon père, qui était instituteur — il est mort il y a cinq ans — la couvait littéralement. Il organisait tout, décidait de tout. Elle se contentait de suivre, heureuse et protégée, sans aucune notion des réalités et des difficultés de l'existence. Elle vivait sur une autre planète : son mari, son fils, sa maison. Elle continue d'y vivre. Ce qui, remarquez, est une forme de bonheur. Peut-être un peu égoïste. Mais le bonheur n'est-il pas toujours un peu égoïste ?

On entendit, quelque part, le carillon grêle d'une pendule. Un merle siffla dans le jardin.

— A Tarques, dit Gambier, vous vivez une expérience passionnante.

— N'est-ce pas ? Qui prouve le sens naturel de la fraternité chez tous ces garçons, de quelque milieu qu'ils viennent. Il y a parfois des accrochages, bien entendu, mais sans importance. Ce qui les unit, c'est le sentiment de bâtir ensemble quelque chose. Quelque chose d'utile. Ils y croient beaucoup plus, par exemple, qu'à la patrie ou à la politique. C'est du solide, du tangible. Du concret. Ils ont besoin de concret. Aujourd'hui, ils ne rêvent plus…

— Sauf Roger ! dit Sylvie en souriant.

— Ah ! oui, Roger… C'est un cas. Besoin de tendresse, aussi. Alors, ils appellent cela l'amour. Encore qu'on ne sait pas. Car enfin cela existe, l'amour ! Allez-vous le nier ?

— Sûrement pas ! dit Sylvie. Mais il est préférable, en général, d'être deux ! Et vraiment, Janine et Roger…

— Evidemment. Ils sont fondamentalement différents. Seulement, lui, il cristallise sur Janine.

Parce que c'est une fille bien, propre, et jolie de surcroît. Vous croyez que ça s'arrange ?

— Je crois qu'il a compris. En tout cas, on ne le voit plus à la cuisine !

— Vous savez, dit Gambier, si on devait mourir à vingt ans d'un amour déçu, les cimetières ne suffiraient pas...

— Juste. C'est pourquoi il est nécessaire d'occuper les jeunes, de les intéresser à quelque chose... Regardez à Tarques. Ils se sentent vraiment chez eux. Ils sont fiers de ce qu'ils font.

— A propos, dit Gambier, la toiture est réinstallée. Et solidement boulonnée, cette fois ! Et j'espère que nous aurons de l'eau dans la piscine avant la fin du mois...

Le curé sourit :

— Vous avez eu là une riche idée, mon commandant. Une piscine. Vous pensez, quel luxe ! Vous avez été chic, et votre femme aussi, d'accepter de nous donner ce coup de main...

— Pour être franc, dit Gambier, au début ça ne m'emballait pas tellement. Ça ne m'emballait même pas du tout. Les vacances, pour moi, c'était le farniente absolu.

Il désigna Sylvie.

— Toutefois, n'est-ce pas, ce que femme veut... Or, maintenant, je ne renoncerais à Tarques pour rien au monde. Cela me passionne aussi. Ce sont des vacances formidables !

— Vous le disiez il y a un instant, monsieur le

curé, dit Sylvie en riant : il est nécessaire d'occuper les jeunes, de les intéresser à quelque chose !

L'abbé Lejeune remplit les verres. Il avait les mains larges, carrées, les ongles taillés ras. Des mains, en somme, de paysan.

— Je viens de recevoir un télégramme, dit-il. Willy arrive demain.

— Willy ?

— Oui. Le jeune Allemand que nous attendons. Je vous en ai parlé. Il fait à Francfort des études d'ingénieur. J'ai hésité avant de l'accepter.

— Pourquoi ?

— Tout simplement parce qu'il est Allemand ! Vous me direz que la guerre est finie depuis belle lurette, oui. Ça n'empêche qu'il y a encore des rancunes, des rancœurs conscientes ou subconscientes. Bref, j'ai hésité. Puis j'ai fait voter mes garçons. Pour ou contre. Ils ont tous voté pour, à l'unanimité !

— Vous voyez bien, dit Sylvie.

— Oui, j'ai été agréablement surpris. Après, on a parlé tous ensemble. Ils m'ont dit qu'ils se sentaient Européens avant tout, et même citoyens du monde. Ils m'ont dit qu'ils se moquaient éperdument qu'un gars soit Allemand, Javanais ou Iroquois, jaune, noir ou blanc de peau, pourvu que le gars soit valable !

Sylvie se mit à rire :

— Cela me rappelle une histoire. Cela se passe en Allemagne, il y a pas mal d'années. Une dame va chez le médecin avec son petit garçon. Elle explique que le petit garçon est très difficile et très méchant. Qu'il s'amuse à torturer le chat, à arracher les pattes des mouches, à couper en morceaux les vers de terre... Il ne faut pas vous tracasser, dit le docteur. C'est une mauvaise passe, une crise de croissance. Cela arrive. Soyez sans crainte et portez-vous bien. Au revoir, madame Hitler !

— Mais c'est une horrible histoire ! dit le curé.

— Qu'attendre d'une horrible femme ? dit Gambier amusé.

— Moi, dit Sylvie, j'adore ce genre d'histoires ! Mais rassurez-vous, je n'ai a priori rien contre les Allemands. Et Hitler, pour les jeunes, c'est sûrement un personnage de musée. Quelque chose comme Attila et Gengis Khan ! Je connais des Allemands très sympathiques. Nous en avons même rencontrés tout récemment à Berlin[1], mon mari et moi... D'ailleurs, il y a partout des salauds et des braves types. Ce n'est pas une question de nationalité. C'est une question d'individus.

Elle vida son verre.

— Noëlle, dit le curé, la petite Noëlle Lemarchand, m'a raconté ce que vous avez fait pour elle...

Sylvie haussa les épaules :

— On n'a rien fait du tout. C'était tout naturel. On n'allait tout de même pas la laisser se noyer, au

1. Voir *Sylvie au pied du mur*.

sens propre çomme au figuré ! La chance, c'est qu'elle soit tombée ensuite sur ce François.

Elle rit :

— Vous savez, monsieur le curé, c'est à Ariennes que se font les meilleurs mariages, tout le monde sait cela !

— Le Ciel vous entende. Mais je dois dire, en effet, qu'en général ça va. Les gens s'entendent bien. Il n'y a pas de gros drames.

Sylvie regarda sa montre.

— Pas encore, dit-elle. Mais ça ne va pas tarder. Tu as vu l'heure, Phil ? Si on arrive encore en retard, maman va sûrement nous fusiller !

Ils se levèrent.

— J'aime beaucoup Mme Renaud, dit le curé Lejeune.

— Elle vous le rend bien, dit Sylvie. Encore qu'elle vous trouve un peu beatnik !

— Beatnik ?

— Tout est relatif. Un curé sans soutane, vous vous rendez compte ? Où va le monde, sinon à sa perte ?

Le curé se mit à rire.

— Evidemment. Allez donc contenter tout le monde ! Mais je dois bien avoir encore une vieille soutane quelque part. Je la mettrai la prochaine fois que j'irai saluer votre maman. Cela la rassurera. Je vous retrouve à Tarques tout à l'heure ?

— Bien sûr, dit Gambier.

— Bien sûr, dit Sylvie. Il ne peut plus vivre

ailleurs. Il en rêve toutes les nuits. Si ça se trouve, vous l'aurez sur le dos chaque année aux vacances. Il finira ses jours comme prieur de l'abbaye restaurée de Tarques ! En attendant, j'ai l'impression qu'on va se faire sonner les cloches, pour se mettre dans l'ambiance... On file. A tout à l'heure, monsieur le curé !

■

Willy n'avait pas du tout le type allemand. D'ailleurs, y a-t-il encore un type latin, germain, scandinave ? Tout se brasse, se mélange, s'uniformise. Le jeune garçon était grand, l'allure sportive. Il avait les cheveux bruns bouclés et les yeux bleus. Pour avoir étudié deux ans en Sorbonne, il parlait le français pratiquement sans accent. Avec ses vingt-cinq ans, il était l'aîné du groupe et c'est tout naturellement qu'après quelques jours il en devint en quelque sorte le leader.

Tout au début, il y eut une courte période de flottement. Les autres l'observaient. Un Allemand. Certes, ils avaient voté son admission. Certes, la guerre était finie depuis longtemps et aucun d'entre eux, du reste, ne l'avait connue. N'empêche qu'il est des souvenirs vivaces. N'empêche qu'on voit encore de temps à autre, au cinéma, à la télévision, d'horribles images de fusillades et de camps de concentration ; et que l'Allemagne en porte, à jamais, la honte.

Willy sentit-il ce malaise ? Probablement. Il n'en laissa toutefois rien paraître. Il défit son sac dans le dortoir, rangea ses affaires, vint serrer les mains. Puis il se mit au travail. Il était cordial, direct, efficace. Il avait le sourire ouvert. Il gagna vite la sympathie de tous.

— C'est marrant, dit Annie, aux prises avec une pyramide de poireaux. On le regardait comme un phénomène. Comme s'il allait arriver botté, casqué et armé d'une mitraillette ! Tout ça parce qu'il est Allemand. Alors qu'il est sympa comme tout, ce type ! Tu ne trouves pas, Sylvie ?

— Si. Pour moi, Allemand, Anglais, Français, cela n'a pas beaucoup de sens. Cela n'a plus beaucoup de sens. Ce n'est pas ton avis, Janine ?

La jeune fille hésita. Du plat de la main, elle lissa machinalement ses longs cheveux.

— Je ne sais pas, dit-elle. Mon grand-père est mort à Dachau. Il était juif. Nous n'oublierons jamais.

Il y eut un petit silence.

— Il ne faut pas oublier, dit doucement Sylvie. Il faut retenir cette terrible et monstrueuse leçon. Mais quel peuple, par la folie de l'un ou l'autre de ses maîtres, n'a pas du sang sur les mains ?

— Oui. Mais le crime ainsi organisé, industrialisé... Seule l'Allemagne était capable de faire cela.

— Non, dit Sylvie. Des milliers d'Allemands sont morts dans ces sinistres camps. Simplement parce qu'ils n'étaient pas d'accord. Ce fut le temps de la folie nazie. Et beaucoup de Français, même, furent plus nazis que les Allemands. Ajoutant la trahison et la lâcheté à l'ignominie. S'il ne faut pas oublier, il ne faut rien oublier.

— Surtout, dit Annie en haussant les épaules, que ces trucs-là ne sont tout de même pas héréditaires ! Je ne savais pas, Janine, que tu avais du sang juif dans les veines. Qu'est-ce que ça change ? On est tous pareils. On est tous de son époque. Pour moi, ces vieilleries n'ont aucun sens. Ou alors je vais détester Luigi sous prétexte que Jules César a envahi la Gaule ! Il faut regarder devant soi, pas derrière...

Janine ne répondit pas.

Pour gagner la sympathie des garçons, Willy disposait d'une autre arme : il jouait admirablement de la guitare. Pas à la manière romantique et napolitaine de Luigi, mais en chantant des chansons de Bob Dylan, de Ray Charles et d'Elvis Presley. Ce soir-là, pour fêter avec les garçons le 14 Juillet, Sylvie et Gambier assistèrent au feu de camp qui se prolongea jusqu'à minuit. Chacun y alla de son numéro. François imita Darry Cowl d'une façon désopilante. Marcel raconta des histoires, avec son inimitable accent liégeois. André, le costaud, révéla un talent inattendu en jonglant avec des bouteilles. Même le curé Lejeune paya de sa personne en récitant des vers de Queneau.

— Pas mal, comme poésie, souffla Annie à

l'oreille de Sylvie. Mais ça ne vaut pas les vers de Roger !

Sylvie regarda Roger. Il se tenait immobile dans l'ombre, une couverture rouge sur les épaules. Et il ne quittait pas Janine des yeux. Souffrait-il ? Probablement. Plus tôt il quittera le camp et mieux cela vaudra. Il sera repris par son travail, par la vie quotidienne. Il pensera de moins en moins à Janine. Puis il n'y pensera plus du tout. Un raté ? Si l'on veut, en ce sens qu'il a une sensibilité qui ne correspond pas à son aspect physique. Des ambitions qu'il n'est pas capable de réaliser. Il en est conscient et déjà aigri. Il y a des êtres qui réussissent tout comme en jouant. D'autres, moins doués, qui réussissent à force de travail et d'obstination. D'autres enfin, comme Roger, qui naissent avec, en eux, le sentiment de l'échec. C'est comme une maladie. Mais le remède ? Beaucoup de patience. Beaucoup d'amour. Mais on ne commande pas à l'amour.

Quand son tour fut venu, Roger joua *La Marseillaise* à l'harmonica. Mais il était intimidé et cela manquait de souffle. On l'écouta poliment. On applaudit poliment. Il alla se rasseoir dans l'ombre. Dans cette ombre qui, sa vie durant, l'entourerait. Il alla se rasseoir et il se remit à regarder Janine avec une sorte d'adoration douloureuse.

Le feu crépitait. Les hautes flammes dansaient joyeusement. Cela sentait bon la résine et le bois brûlé. Sur l'insistance des garçons, Sylvie et Gambier durent aussi s'exécuter. Ils mimèrent un combat aérien qui connut un vif succès, surtout lorsque Gambier, abattu en flammes, trébucha pour de bon et s'étala de tout son long. M. Mahieu était également de la fête. Comme il avait eu la bonne idée d'apporter quelques bouteilles de vin blanc, on le dispensa d'amuser autrement la galerie. Il s'amusait beaucoup.

— Ah ! la jeunesse..., dit-il à Sylvie. On en dit volontiers du mal. On a tort. Regardez-les...

— Vous n'avez pas d'enfants ? demanda Sylvie.

— Non, malheureusement.

Il sourit :

— Il faut dire que je ne suis pas marié. Dès lors... Mais je me suis toujours beaucoup intéressé aux jeunes. Ils sont l'avenir, la promesse. Il faut leur faire confiance, même si, dans l'excès de leur enthousiasme, ils commettent parfois des erreurs. Il y a longtemps que je rêvais de faire de Tarques un centre de jeunesse. Mais je me heurtais à l'incroyable inertie des gens. A leur formidable indifférence. Puis l'abbé Lejeune est venu. Du dynamisme à revendre. Et une poigne de fer sous son air bon enfant. Un fonceur. Si vous le chassez par la porte, il rentre par la fenêtre ! Il s'est tant et si bien démené — comme un diable dans un bénitier, si j'ose dire — qu'il a obtenu les autorisations nécessaires. On les lui a accordées pour avoir la paix. Et même un petit subside... C'est ainsi que tout a commencé. L'an prochain, il projette déjà d'organiser un festival pop. Bien entendu, les gens de l'endroit ont une frousse bleue. Ils s'imaginent qu'une colonie de sauvages à cheveux longs va dévaster la région en poussant des cris hystériques et en fumant de la marijuana... L'abbé n'en a cure. Il veut son festival et il l'aura. Précisément pour prouver que les jeunes ne suivent pas tous les chemins qui mènent à Katmandou...

— Vous ne craignez pas, justement, les brebis galeuses ?

— Nos garçons feront discrètement la police. Vous savez, Marcel est ceinture noire de judo ! La seule vue de sa carrure suffit à calmer les petits excités... J'espère que vous viendrez ?

— Avec plaisir, dit Sylvie. J'aime beaucoup la pop'music...

Et j'amènerai maman, songea-t-elle amusée. Elle sourit en songeant à la tête que ferait la vieille dame parmi les hippies et autres provos[1]...

— En-core ! En-core ! En-core ! réclamaient les garçons sur l'air des lampions.

Willy hésita, sa guitare à la main. Minuit, en effet, venait de sonner. Le garçon interrogea du regard l'abbé Lejeune.

— Encore une, dit le curé, mais la dernière.

Willy joua l'air célèbre du film *Jeux interdits*.

La musique monta dans la nuit, tour à tour

1. Voir *Sylvie chez les provos.*

tendre et heureuse, grêle et nostalgique. Le feu achevait lentement de mourir et les braises rougeoyaient. Il n'y avait pas un souffle de vent. On eût dit que les arbres eux-mêmes, figés, écoutaient. Willy portait une chemise blanche, un short blanc. Ses doigts couraient sur les cordes. Il avait les yeux clos, un léger sourire sur les lèvres.

— Allemand ou pas, souffla Annie, moi je trouve qu'il est rudement bien, ce type !

Pourquoi, à ce moment-là, Sylvie, instinctivement, regarda-t-elle Janine ? Elle était immobile. Elle avait la bouche faiblement entrouverte, les yeux comme agrandis, la tête rejetée en arrière.

Elle regardait Willy.

VI

Gambier s'appuya un instant sur le manche de sa pelle. Il contempla la future piscine avec satisfaction.

— Si tout va bien, dit-il, nous en aurons terminé ce soir. Et nous pourrons amener l'eau.

Il se remit au travail. Willy maniait la pioche avec régularité. C'est presque à ce moment-là que l'outil dérapa et s'enfonça dans le soubassement sans rencontrer de résistance.

— Venez voir, cria Willy.

En quelques coups de pioche, il dégageait l'ouverture d'une sorte de niche d'environ un mètre carré. Dans la niche, il y avait un coffre en chêne bardé de fer et scellé par un lourd cadenas. Les garçons regardaient avec étonnement.

— Curieux, dit Gambier. Ça doit faire pas mal

d'années qu'il est là-dedans. Maniez cela avec prudence ; Dieu sait ce qu'il contient.

Avec Willy, il souleva le coffre, qui n'était pas très lourd. Ensemble, ils le portèrent sous la tente qui servait de chapelle.

— Que fait-on ? demanda Willy.

— On attend que l'abbé soit là. C'est à lui de décider. Allons continuer...

— Bizarre, dit l'abbé Lejeune, perplexe.

Tout le monde faisait cercle autour de lui. Une même curiosité était peinte sur tous les visages.

— Et si c'était un trésor ? dit Annie.

— Et si c'était une bombe ? dit André.

Annie haussa les épaules :

— Tu as déjà vu qu'on mettait des bombes dans un coffre ? Et d'ailleurs, en ce temps-là, ils n'avaient pas de bombes... On l'ouvre, monsieur le curé ?

— Je crois bien que oui. Je suis aussi curieux que vous. L'ennui, c'est que je n'ai pas la clé.

Willy s'en fut chercher une scie à métaux et entreprit de scier le cadenas. Ce fut un travail long et délicat. Le garçon se releva.

— Ça y est. A vous l'honneur, monsieur le curé.

Le curé se pencha, souleva lentement le couvercle qui céda sans autre résistance. Il y eut un même oh ! de surprise et d'admiration. Le coffre contenait deux ciboires en or, ainsi qu'une petite

Vierge de bois sculpté et peint de quelque trente centimètres de hauteur. Bizarrement, le visage était noir. Elle avait un diadème en or et portait une longue cape rouge, taillée dans un tissu qui ressemblait à du velours.

— Comme elle est jolie, dit Annie. Mais pourquoi noire ?

— On trouve des Vierges noires dans certaines régions, expliqua l'abbé. Notamment en Belgique.

— Juste, dit Marcel. Pas loin de chez moi, à Verviers, il y a une Vierge noire à l'église des Récollets. On raconte qu'elle n'était pas noire, mais qu'elle l'est devenue quand l'église a été saccagée sous la Révolution. Pour protester, quoi !

L'abbé sourit :

— L'explication me paraît douteuse.

Il se penchait, examinait longuement la petite Vierge, les fines broderies d'or de la cape.

— Gardons-la, proposa Annie. Elle sera la protectrice du camp. Elle nous portera bonheur.

— Je ne sais pas si on peut, dit l'abbé. A qui appartient-elle ? Il faudra que j'en parle au maire. Ah ! voici M. Mahieu. Il en connaît peut-être plus que nous...

Il dit à M. Mahieu comment ils avaient trouvé et ouvert le coffre. L'architecte fut vivement intéressé.

— C'est passionnant, dit-il. Elle doit dater des années 1500, environ... Elle est parfaitement conservée. Regardez la finesse des traits, de la bouche, du nez... Tout cela n'a pas une très grande valeur commerciale, mais assurément une inestimable valeur historique. Pourquoi ne la garderiez-vous pas ? En fait, elle appartient à l'abbaye. Je suis sûr que le maire sera d'accord.

— Mais en attendant que la chapelle soit reconstruite ? demanda Sylvie.

— On la rangera dans le dortoir, dit le curé Lejeune. On la sortira chaque fois qu'on dira la messe.

— Vous ne craignez pas, monsieur le curé... ?

— Craindre quoi ? Mais non, mais non. Il n'y a pas de voleurs, ici. Roger, tu seras le gardien du coffre. Et manie la petite Vierge avec prudence. Ce serait vraiment trop dommage de l'abîmer.

Avec précaution, ils portèrent le coffre dans le dortoir.

— Une chance, dit Gambier en souriant. Si Willy n'avait pas donné ce coup de pioche, le coffre eût été sous eau dès demain...

— C'est un petit miracle, dit Sylvie. Pourquoi ne serait-ce pas un petit miracle ?

— Bien sûr, dit Mme Renaud, péremptoire, que c'est un miracle. Et vous dites qu'elle est noire ? Ça, tout de même, c'est curieux. Faudra que j'aille jeter un coup d'œil. A propos de miracle, il s'en est passé un autre, ici... Oui. Le boucher m'avait apporté ce matin un kilo de boudin rouge. Je voulais le faire avec une compote de pommes... Bref, je l'avais mis là, sur la table. Puis je suis allée faire les chambres en haut et quand je suis redescendue, le boudin n'était plus là. Sur le moment, j'ai cru que j'avais la berlue. J'ai cherché partout. Nenni. Ce n'est pas un miracle, ça ?

D'un signe de tête, elle désigna Simba affalé de tout son long sous la table. Il ouvrit un œil innocent — beaucoup trop innocent pour être honnête — et, constatant que tout le monde le regardait, il s'empressa de le refermer. Eric et Virginie riaient.

— Tu crois, maman, demanda Sylvie, que... ?

La vieille dame haussa les épaules :

— Qui voulez-vous que ce soit ? J'ai rarement vu un boudin qui se sauvait tout seul... J'en connais un qui, à l'heure qu'il est, ne doit plus avoir grand-faim !

— Simba ! appela Sylvie, mi-amusée, mi-furieuse.

Simba, prudent, fit celui qui n'entendait pas.

— Simba ! répéta Sylvie en élevant la voix.

Difficile, cette fois, de rester insensible. Ou alors il faudrait être sourd comme un pot et ils savent que ce n'est pas le cas. Simba ouvrit les yeux et, à tout hasard, agita la queue.

— Tu n'as pas honte ? dit Sylvie. Un kilo de boudin ! Tu es devenu voleur, à présent ?

Simba, l'estomac encore lourd, bâilla à se décrocher la mâchoire.

— C'est l'occasion qui fait le larron, dit Mme Renaud. J'aurais dû le ranger tout de suite. On ne peut pas en vouloir à une bête. Elle suit son instinct.

Simba sourit in petto. Il a décidément bon dos, l'instinct ! Rassuré, il allongea la tête entre les pattes et se rendormit. Et vous me croirez si vous voulez : on a bien raison de dire que le boudin est rudement meilleur à la campagne !

■

— Cinq... quatre... trois... deux... un... zéro ! dit Gambier.

Willy retira la plaque et l'eau, joyeusement, se mit à couler, saluée par des cris divers et des applaudissements.

— Ça y est, dit Gambier. Ouf. Ce sera plein dans une petite heure. Et vous voyez, monsieur le curé, le trop-plein s'écoule par-là et s'en retourne dans l'Orvette. On a installé un grillage à l'arrivée, pour filtrer l'eau...

Les garçons gambadaient déjà dans l'eau, qui leur arrivait aux chevilles et montait lentement.

— C'est rudement froid ! cria Marcel.

L'abbé Lejeune sourit :

— Monsieur désire une piscine chauffée, avec bar et air conditionné ? L'eau froide, c'est excellent pour la santé.

Il se tourna vers Gambier.

— Bravo, mon commandant. Vous avez bien travaillé. Sans parler de votre trouvaille... J'ai vu le maire. Il est d'accord pour qu'on la garde. Même les ciboires. Mais eux, je vais les emmener à Ariennes, à l'église. Ils sont en or massif. Il n'y a pas de voleurs, c'est entendu, mais il ne faut pas tenter le diable... Et puis cela se saura, car tout finit toujours par se savoir, et il suffit d'un rôdeur, d'un vagabond... Mieux vaut être prudent.

— Et la Vierge ?

— C'est différent. Ce n'est pas un objet négociable. Et puis, qui oserait ? Il faudrait être le dernier des derniers...

Il fut interrompu par une série de sifflements admiratifs. Il se retourna ainsi que Gambier. Annie et Janine survenaient, toutes deux en maillot de bains, rouge pour Annie et turquoise pour Janine. Annie haussa les épaules :

— Ben quoi, vous n'avez jamais vu une fille en maillot ? On peut y aller, au moins ?

— On peut, dit Marcel. Il est déjà possible de nager. Sautez !

Elles ne sautèrent pas. Elles se mirent à l'eau lentement, centimètre par centimètre, en poussant des cris effarouchés. Puis Annie, plus sportive, s'élança et y alla de quelques brasses vigoureuses.

— Merveilleux ! cria-t-elle. Qui m'aime me suive !

Quelques garçons se jetèrent à l'eau, riant et jouant à s'asperger.

— Ça ne te tente pas ? demanda Gambier à Sylvie.

Elle sourit, fit une petite grimace :

— J'adore l'eau. Mais pas tellement l'eau glacée... Je préfère attendre jusqu'à demain, quand le soleil aura un peu réchauffé tout ça.

— Moi aussi, dit Gambier. Courageux mais pas téméraire ! Tu as vu Willy ? Ce garçon a un style de champion...

Il crawlait, en effet, à la perfection, glissant vite sans presque soulever d'eau.

— Vous voyez, monsieur l'abbé, dit Sylvie, il n'y a eu aucun problème. Tout le monde l'aime bien et personne ne se soucie qu'il soit Allemand...

— Oui, dit l'abbé, c'est réconfortant. Les jeunes ont le cœur pur. Hé, voici Roger... Alors, Roger, tu ne te baignes pas ?

— Non, dit Roger.

Il rougit faiblement :

— Je ne sais pas nager.

— Aucune importance, dit Gambier. On t'apprendra. C'est facile.

— Merci, dit Roger. Je n'ai pas envie.

Il alla s'asseoir dans l'herbe, un peu plus loin.

— Il n'ose pas se montrer en maillot, dit l'abbé. Il se trouve trop maigre. Je vous demande un peu. Mais qu'y faire ? Et si on le brusque, il se referme comme une huître.

Sylvie observait Roger. Il regardait Janine et Willy qui nageaient ensemble. Qui formaient ensemble un couple gracieux, harmonieux. Puis Willy, d'un bond, sortit de l'eau. Il tendit la main à

Janine, l'aida à prendre pied sur le bord. Ils se souriaient. Ils allèrent s'étendre dans l'herbe, côte à côte, sous le soleil.

Roger avait un peu pâli. Il se leva, s'éloigna lentement.

Annie sortait de l'eau à son tour. Elle venait à Sylvie.

— Brrr ! Tu as tort. Ça fait rudement du bien.

Elle avait son rire :

— Tu as vu, Janine et Willy ? J'ai bien l'impression que... Boum ! Le coup de foudre, quoi...

■

Les femmes ont, pour déceler ces choses, un instinct qui ne trompe pas. Annie avait compris tout de suite. Sylvie aussi, dès cette soirée autour du feu. Et peut-être même avant Janine et Willy...

Eux, ils ne savaient pas. Pas encore. Ils vivaient tout à la fois dans un éblouissement et une sorte de peur. Au début, Janine n'avait prêté au jeune Allemand aucune attention particulière. Un garçon parmi les autres. Sérieuse, elle pensait à ses études en se disant que l'amour, peut-être, oui, plus tard... Et lui, l'avait-il même remarquée ? Ce sportif avait le goût de la vie libre. Il travaillait avec ardeur au creusement de la piscine. Qui sait, même, s'il ne préférait pas Annie, plus rieuse, plus ouverte ? Et puis...

On ne sait pas comment cela vient. Ils s'étaient

regardés. Une fraction de seconde. Et le piège, le merveilleux piège, déjà, s'était refermé. Il se disait que c'était absurde. Qu'il était Allemand. Qu'il allait, bientôt, repartir. Il se disait qu'il ne devait pas penser à elle. Mais il pensait à elle sans cesse. Janine...

Elle se disait que c'était absurde. Qu'elle était encore bien jeune. Qu'il était Allemand. Qu'ils allaient, bientôt, être séparés. Elle se disait qu'elle ne devait pas penser à lui. Mais elle pensait à lui sans cesse. Willy...

Elle ouvrit les yeux. Le soleil chauffait. Il y avait dans l'herbe des bourdonnements d'insectes. Il y avait aussi les cris des garçons qui continuaient de jouer dans l'eau. Le ciel était bleu avec, çà et là, quelques petits nuages blancs.

Elle tourna la tête et vit qu'il la regardait. Il souriait. Il avait les yeux très bleus, les dents très blanches. Elle lui sourit aussi.

Alors il prit doucement, dans sa grande main, la petite main de Janine. Et ils restèrent là, immobiles, heureux.

Elle était si heureuse qu'elle avait presque envie de pleurer. Ils restèrent longtemps sans parler. Que dire ? Les mots sont impuissants. Les mots déforment tout. Mais ils ne pouvaient pas rester étendus dans l'herbe jusqu'à la fin du monde.

— Janine, dit-il.

— Oui.

— Je voudrais... Je ne sais pas. C'est difficile.

Il ne trouvait pas. Elle sourit.

— Tais-toi, dit-elle.

— Tu sais, je suis Allemand.

Elle haussa les épaules.

— Et alors ? Moi, j'ai du sang juif dans les veines... Quelle importance ?

Justement, quelle importance ? Rien n'est important, que l'amour. Qui nivelle les montagnes. Qui clame au soleil son triomphe, son évidente certitude. Depuis que le monde est monde.

— Mon père est médecin, dit Willy. Ma mère fait très jeune. Tu verras. Ils t'adopteront tout de suite. Si je m'étais douté... Tu te rends compte ?

Oui, à présent, d'un coup, elle se rend compte. C'est prodigieux. Il y a en elle une soudaine gravité. Elle se soulève sur un coude. Elle le regarde. Elle trouve qu'il est beau. Qu'il est fort. Elle pense qu'elle va se mettre sérieusement à l'allemand. Ce sera comme un jeu.

Il la regarde aussi. Il trouve, ébloui, qu'elle est belle. A la fois si fragile et si forte. Une sorte d'adoration... Il aime sa bouche qui est comme un fruit. Il aime ses yeux couleur de nuit et, sous le menton, ce delta de très fines veines bleues.

Ils sont au centre d'un grand silence. C'est le cercle magique. C'est incroyable. Peut-être que je rêve, que je vais me réveiller ?

Elle n'a pas vu que Roger s'en allait. Elle ne voit plus rien. Sait-elle encore que Roger existe ? Ils sont au centre d'un grand silence empli de fleurs et d'oiseaux. Et cela va durer toujours, toujours, toujours…

— Excusez-moi, dit Annie. Je ne voudrais pas vous casser les pieds. Mais je n'ai pas envie non plus de préparer toute seule le dîner !

Ils sursautèrent. Ils se mirent à rire.

— Je viens, dit Janine. Quelle histoire. Tu viens aussi, Willy ?

La main dans la main, ils se dirigèrent vers la cuisine. Les garçons, vaguement ahuris, les suivaient des yeux.

— Ça alors ! dit Marcel en se grattant la nuque. Vous vous rendez compte ? Quel veinard, ce Willy.

— Ça alors ! dit Gambier. Tu as vu ?

Sylvie sourit :

— Evidemment, je ne suis pas myope. Je le savais.

— Tu le savais ?

— Oui. Enfin, je le sentais. Mais les hommes ne comprennent jamais rien. Qu'en dites-vous, monsieur l'abbé ?

Le curé Lejeune n'en revenait pas.

— Rien, dit-il. La stupeur me rend muet ! D'un coup, comme ça… J'ai l'impression que cela va nous amener des complications.

— Pourquoi ? Ils sont jeunes et beaux. Ils sont purs. C'est merveilleux. Oui, c'est merveilleux de découvrir l'amour à Tarques, en vacances. Elle en fait des miracles, la petite Vierge !

— Ouais, dit l'abbé. Je me sens un peu dépassé par les événements. Dites-moi, qu'est-ce que je dois faire ?

— Rien, dit Sylvie. Cela regarde plutôt le Bon Dieu, monsieur le curé !

Le curé Lejeune, perplexe, alluma une cigarette. Puis, comme l'heure du salut approchait, il s'en fut prendre sa voiture pour regagner Ariennes.

Sylvie se dirigea vers la cuisine. Et Roger ? pensa-t-elle. Lui aussi, il a compris. On dit que le malheur des uns fait le bonheur des autres. Mais pourquoi l'inverse est-il si souvent vrai ? Je lui ai dit que l'amour est une longue patience. Et il vient de le voir naître, spontanément, irrésistiblement, sous ses yeux. Je lui ai dit d'attendre. Et il sait à présent qu'il n'a plus rien à attendre. Pauvre Roger. Pourvu que le curé se trompe. Pourvu que cela ne nous amène pas trop de complications...

On ne revit pas Roger de la journée. Il était allé se promener, solitaire, dans les bois. Il revint à la nuit tombante. Sylvie, un peu inquiète, guettait son retour. Elle fut soulagée : il était calme, détendu, souriant.

— C'est mieux ainsi, dit-il. Rien n'est plus insupportable que l'incertitude. Ce n'était pas une fille pour moi.

Il haussa les épaules :

— Je leur souhaite tout le bonheur du monde. Ils forment un beau couple, n'est-ce pas ?

Sylvie leva la tête.

— Oui, reprit-il, un beau couple. Tandis que moi…

Ce soupçon d'amertume, dans sa voix.

— On ne commande pas à l'amour, dit Sylvie.

— Non, bien sûr. On ne commande à rien. On vend des meubles. Bah ! du moment qu'on a la santé…

On sentait qu'il faisait, sur lui-même, un terrible effort.

— Je vais bientôt quitter Tarques, dit-il. Enfin, je ne sais pas. Peut-être que ce sera plus facile, quand je ne la verrai plus… Une de perdue, dix de retrouvées !

Il souriait. Il souriait, mais Sylvie n'aimait pas ce sourire. Pauvre Roger. C'est difficile, parfois, d'apprendre à vivre.

— Un Allemand, dit-il encore, c'est le comble. Les filles sont folles. Mais pour un bel Allemand, c'est un bel Allemand, il faut reconnaître ce qui est…

Il haussa de nouveau les épaules et s'en fut, mains dans les poches, silhouette efflanquée, en sifflotant.

VII

Cela se passa le dimanche, peu avant l'heure de la messe. Le curé Lejeune préparait déjà l'autel sous la tente de toile blanche. Le temps restait au beau et le soleil commençait à chauffer. Roger survint en courant, l'air affolé.

— Monsieur le curé, la petite Vierge a disparu !

L'abbé fronça les sourcils :

— Qu'est-ce que tu racontes ?

— C'est ainsi. J'ai voulu la prendre il y a un instant. J'ai ouvert le coffre. Il était vide.

— Mais ce n'est pas possible. Ou alors c'est une plaisanterie.

Evidemment, tout le monde avait accès au coffre : le cadenas était rompu et le dortoir presque toujours désert durant la journée. Mais qui et pourquoi ? Si c'était une plaisanterie, elle était de mauvais goût.

Les garçons arrivèrent, ainsi qu'Annie et Janine, pour assister à l'office. Mis au courant, ils se regardèrent, perplexes.

— Mais enfin, dit Annie, aucun étranger n'est venu au camp.

— Si bien, dit l'abbé, que cela ne peut être que l'un d'entre nous. Toutefois, les meilleures plaisanteries étant les plus courtes…

Il fallut se rendre à l'évidence : personne n'avait pris la Vierge noire. Personne, du moins, ne l'avouait.

Ce dimanche-là, le curé Lejeune dut faire, pour dire la messe, un sérieux effort de concentration. Son esprit était ailleurs. Qui et pourquoi ?

Sylvie et Gambier vinrent après le déjeuner, en compagnie des jumeaux. Eux aussi tombèrent des nues.

— Je ne comprends pas, dit Gambier. Tu n'as rien vu, Roger ?

— Rien.

— C'est absurde, dit Sylvie. La petite Vierge — M. Mahieu l'a dit — n'a guère de valeur marchande. Il ne peut s'agir d'un vol… Cherchons.

Mais chercher où ? Et dans quel intérêt quelqu'un eût-il enlevé la statuette pour la cacher quelque part ? Bien entendu, on ne trouva rien. Tout le monde était consterné. Surtout Roger qui se sentait responsable.

— Mais non, dit l'abbé. Quand je t'ai dit que tu

en étais le gardien, c'était une façon de parler. Une charge symbolique... C'est incompréhensible.

La journée fut morose. Chacun s'interrogeait. Et chacun, quoi qu'il en eût, se mettait à observer les autres avec suspicion.

— C'est cela qui est grave, dit le curé Lejeune. Ils étaient tous copains, confiants. Et maintenant ils s'épient, se méfient... Car enfin il y a un coupable. La Vierge ne s'est pas envolée toute seule ! Qui ? On est en droit de soupçonner tout le monde. Pourtant, je les connais tous et je ne vois vraiment pas...

Sylvie réfléchissait. Elle passait les garçons en revue, mentalement, un à un. Non. Elle ne voyait pas non plus.

— Il n'y a qu'une solution, dit Gambier. Il faut prévenir la police.

L'abbé eut une moue réticente.

— La police, ici, c'est le garde-champêtre. Ou les gendarmes. Je n'aime pas beaucoup ça. C'en sera fini de notre bonne ambiance.

— Attendons, dit Sylvie. Si c'est le fait d'un mauvais plaisant, il aura compris. Ils sont jeunes, irréfléchis. Peut-être qu'il n'ose pas se dénoncer devant les autres. Il restituera la petite Vierge... Attendons.

Ils décidèrent d'attendre.

Mais le lendemain n'apporta rien de nouveau. Le coffre demeura obstinément vide. Et le curé Lejeune reçut la lettre le mardi matin. Une enveloppe banale, avec l'adresse manuscrite, mais en caractères majuscules. Elle contenait une feuille de papier quadrillé, pliée en quatre, et un texte collé, composé à l'aide de mots et de caractères découpés dans un journal : *c'est l'Allemand le voleur*.

Willy ? L'abbé hésita. Pour quelles raisons ? Et pourquoi cette dénonciation anonyme ? Il résolut d'aller en parler à Sylvie et à Gambier. Il prit sa 2 cv.

— Une chose est sûre, dit Gambier. Quelqu'un est au courant. Il n'y a plus de mystère, mais une assez sombre histoire…

— Où l'enveloppe a-t-elle été postée ? demanda Sylvie.

— A Tarques. Mais cela ne nous avance guère. Tout le monde va au village, au moindre prétexte.

— Je ne vois pas du tout, dit Sylvie, pourquoi Willy aurait commis ce vol…

— Moi non plus, dit l'abbé. Encore que lui, il est un peu plus âgé que les autres. Il peut se rendre compte qu'elle représente tout de même une certaine valeur…

— Un Allemand, vous savez, dit Mme Renaud.

Elle avait vécu les deux guerres et n'éprouvait guère de sympathie pour les Allemands. Encore que, depuis son séjour dans l'île[1], elle se méfiait de

1. Voir *Sylvie et la malédiction de Kézuma*.

ses propres jugements. Elle haussa les épaules.

— Encore que ça ne veut rien dire, conclut-elle. Vous n'avez qu'à interroger ce Willy. Vous verrez bien. Vous verrez bien s'il fait une drôle de tête…

Elle soupira :

— Une lettre anonyme, c'est honteux. Celui qui a envoyé ça ne vaut guère mieux. Ils ont une belle mentalité, les jeunes d'aujourd'hui !

■

— C'est tout de même extraordinaire, dit Janine. On ne s'était jamais vus et tout d'un coup… Tu sais, l'amour, je n'y pensais même pas. Je me disais que ça arriverait à son heure. Mais sûrement pas si vite !

Willy sourit :

— Moi, c'était pareil. Le mariage, la corde au cou, merci bien. Et puis voilà. Et il a fallu, pour cela, que je vienne à Tarques. Oui, c'est extraordinaire. Il n'y a qu'une chose qui m'ennuie…

— Quoi ?

— Va-t-on habiter ici ou chez moi ?

Elle haussa les épaules :

— C'est égal. On a tout le temps d'y penser. D'abord finir l'univ… Tâche surtout de réussir !

Il eut un rire bref :

— Pas de problème, surtout maintenant que je suis pressé !

Il la regarda.

— Je me demande, dit-il, si je te trouve très jolie ou si tu es vraiment très jolie !

Elle rit à son tour :

— Demande aux autres !

— A propos, Roger ?

— Non. Il ne s'occupe plus de moi. Il a compris.

— Dommage pour lui. Mais enfin…

Oui, Roger avait compris. Il avait renoncé, définitivement. Ils avaient d'ailleurs tous compris et ils s'arrangeaient, tacitement, pour laisser Janine et Willy seuls de temps à autre. Comme maintenant. Ils étaient assis sur le petit mur, près du dortoir.

— Quelle chaleur, dit Janine. On se croirait en Espagne. C'est merveilleux. Tout est merveilleux.

Elle sourit.

— Et dire qu'il y a des gens qui ne croient pas à l'amour. Ou qui disent que ça ne dure pas. C'est faux : Regarde Sylvie et son mari. Tu crois qu'on fera un couple comme eux ?

— Je ne crois pas, j'en suis sûr. Pourquoi pas ? Il suffit de bien s'aimer et de vouloir. De toutes ses forces et tous les jours.

— Oui. Tu sais, quand tu as trouvé la petite Vierge, ç'a été pour moi comme un présage. Comme un signe. Les filles sont toujours un peu superstitieuses… Par contre, maintenant qu'on l'a perdue… Tu crois qu'on l'a volée ?

— Probablement. Quant à savoir pourquoi… Va-t'en deviner. Mais je te défends bien d'y voir, cette fois, un mauvais présage !

Il se leva.

— Je retourne au boulot, dit-il. Il ne faut pas exagérer. *Ich liebe dich,* Janine !

Elle sourit, se leva à son tour.

— *Ich liebe dich,* Willy ! Tiens, voilà Sylvie…

— Je vous cherchais, dit Sylvie. Monsieur le curé m'a chargée d'une mission un peu délicate. Il estime que la diplomatie féminine est, en l'occurrence, mieux indiquée…

Janine s'inquiéta tout de suite, regarda Willy.

— C'est à propos… de nous deux ?

— Non, il ne s'agit pas de cela. C'est à propos de Willy tout seul. Inutile de tourner autour du pot. Tenez, lisez…

Elle tendit à Willy la feuille de papier. Il lut. Il ne comprit pas tout de suite. Puis il pâlit brusquement.

— Moi ? Mais c'est de la folie !

Janine lui avait pris le papier des mains, lisait à son tour. Elle regarda Willy, puis Sylvie, puis de nouveau Willy.

— Il faut me croire, dit-il. Allons dans le dortoir. Allons visiter mes bagages.

— C'est inutile, dit Sylvie. Parce que celui qui a dérobé la petite Vierge a pu la cacher n'importe où…

Il y eut un petit silence.

— Ce n'est pas moi, dit Willy. Si je tenais le salaud qui a écrit ça…

Sylvie, déjà, était sûre qu'il ne mentait pas. Il n'avait vraiment pas une tête de voleur. Il ne faut pas se fier aux apparences, d'accord, mais tout de même... Et il y a des accents qui ne trompent pas. Janine s'accrocha brusquement au bras de Willy.

— Je suis sûre, dit-elle, que ce n'est pas lui.

Sylvie sourit.

— Moi aussi, dit-elle.

Le garçon la regarda, visiblement soulagé.

— Merci. Mais pourquoi ce papier, cette ordure ?

Sylvie haussa les épaules :

— Est-ce qu'on sait ? Sans doute quelqu'un qui n'aime pas les Allemands, qui a voulu vous compromettre... Je ne sais pas. Il peut y avoir trente-six raisons.

— Au moins, dit Janine, on sait une chose : c'est que le coupable n'est sûrement pas loin. Ni, sans doute, la petite Vierge... Mais qui ?

— *That is the question !* On trouvera. On finira bien par trouver. N'y pensez plus. *Auf wiedersehn !*

Sylvie s'en fut, songeuse. Et si, quand même, en dépit des apparences, c'était lui ?

■

— Non, dit le curé Lejeune. Je n'ai vraiment aucune idée. Je connais tous mes garçons. Aucun n'est capable d'accomplir une chose pareille.

— Mais Willy, fit remarquer Gambier, vous le connaissez à peine. Et vous disiez vous-même qu'il était sans doute le seul à pouvoir se rendre compte de la valeur relative de la statuette. A mon avis…

— Doucement, doucement, intervint Sylvie. Surtout pas de jugement hâtif et téméraire. On a beau avoir l'esprit large. On garde, enfouis au fond de soi, certains préjugés. Vous savez, les Allemands…, comme dit maman. Mais c'est injuste et ridicule. Il ne faudrait pas que Willy en soit victime.

Gambier se tut, alluma une cigarette. Evidemment, elle a raison. Le curé Lejeune se caressait pensivement le menton.

— Remarquez, dit-il, qu'au fond ce vol ne nous cause pas un grave préjudice. Mais c'est avant tout une question de principe. Il est intolérable de penser qu'il y a parmi nous un voleur et quelqu'un qui écrit des lettres anonymes !

— A moins que ce ne soit le même, dit Sylvie.

Le curé la regarda.

— Oui. Evidemment… Mais qui ?

Sylvie sourit :

— A ce niveau de l'enquête, monsieur le curé, on peut soupçonner tout le monde. Même nous, même vous ! Ce peut être aussi quelqu'un d'étranger au camp. Des gens viennent ici. A commencer par M. Mahieu…

— Impensable, dit l'abbé.

— Vous savez, le coupable est souvent celui à

qui on songe le moins. M. Mahieu n'est-il pas amateur de choses rares et anciennes ?

— Soit. Mais de là à... Et puis pourquoi aurait-il accusé Willy ?

— Parce qu'il faut bien qu'il y ait un coupable. Et puis il peut avoir des raisons d'en vouloir, en bloc, à l'Allemagne !

Le curé hocha la tête.

— Non. Je ne parviens pas à imaginer que...

— Moi non plus, bien entendu, dit Sylvie en souriant. Je veux simplement prouver qu'on peut, finalement, en arriver à se méfier de tout le monde... Mais je crois qu'on peut éliminer tout de suite ce brave M. Mahieu.

— Vous savez ce que je pense ? dit Gambier. Qu'on ne retrouvera jamais la statuette. Il y a, ici, mille cachettes possibles. Supposons qu'un des garçons ait commis ce méfait... Rien ne l'empêche de revenir la prendre après les vacances. Ni vu ni connu.

— Mais pourquoi, dit le curé, voudriez-vous qu'un de ces jeunes garçons s'intéresse à un tel objet ?

— Est-ce qu'on sait jamais ce qui peut se passer dans leur tête ? Cela fait très roman d'aventures... Ce qui est plus troublant, c'est cette lettre anonyme. Encore une fois, elle a pu être dictée par plusieurs raisons. Et cela aussi fait très roman d'aventures ! L'Allemand, voilà l'ennemi, le vieil ennemi héréditaire...

— Je ne trouve pas, dit le curé Lejeune, que cela fasse roman d'aventures. Je trouve que c'est parfaitement dégoûtant !

— Bien sûr. Mais vous n'êtes pas un adolescent exalté ! Il est très possible que le garçon qui a fait cela ait eu le sentiment d'accomplir une légitime vengeance nationale ! A cet âge-là, vous savez...

— Il me semble, dit Sylvie, que c'est aller la chercher un peu loin la motivation... Tu erres, Phil, tu erres ! Et on dit que c'est moi qui ai trop d'imagination... Revenons sur terre.

— Soit. Encore que... Tu aurais tout de même dû aller jeter un coup d'œil dans les affaires de Willy. On ne sait jamais.

— C'était parfaitement inutile. S'il me l'a proposé, c'est qu'il savait que c'était sans risque.

— Sauf s'il te l'a fait au bluff.

— Cela m'étonnerait. Non. Il faut chercher ailleurs.

— Ou laisser tomber, dit le curé, en attendant la suite des événements. S'il y a une suite. Ce qui me chagrine, c'est la pensée de cette mauvaise action. Je ressens cela comme un échec personnel. On essaie de réunir des jeunes. De leur donner un but, un idéal. On croit bien les connaître tous. De braves petits gars. Et puis... C'est déprimant.

Sylvie haussa les épaules :

— Une brebis galeuse ne fait pas le troupeau, monsieur le curé. Et puis, brebis galeuse, c'est vite dit... Il faut voir.

Ainsi bavardèrent-ils, assis sur le talus, à l'ombre des grands épicéas. On entendait les cris et les rires, et la voix de Luigi qui n'arrêtait pratiquement jamais de chanter. Un hélicoptère de la gendarmerie tourna au-dessus de Tarques et disparut.

— On aurait dû l'appeler ! dit Gambier. Il tombait bien. Nous sommes en plein roman policier.

— Non, dit l'abbé. Non, décidément, pas la police.

— Vous n'aimez pas les gendarmes, monsieur le curé ?

Le curé sourit :

— Vous connaissez beaucoup de gens qui vouent aux gendarmes une affection profonde ? Il en faut, d'accord, mais enfin... Ils viendraient fureter partout, interroger et troubler les garçons. Ils vous prennent toujours, a priori, pour un dangereux gangster ! Et puis le jeu n'en vaut pas la chandelle... Tâchons de régler cela entre nous, si c'est possible.

— C'est parfaitement possible, dit Sylvie.

L'abbé la regarda :

— Vous avez une petite idée ou vous êtes d'un naturel optimiste ?

Sylvie rit :

— J'ai une petite idée et je suis d'un naturel optimiste ! Je possède aussi — demandez donc à mon mari — un flair légendaire !

— Juste, admit Gambier. On ne sait pas s'il faut appeler cela du flair ou de la chance, mais elle a réussi déjà à dénouer quelques sombres énigmes[1]... Il faudra lui demander de vous raconter cela, à l'occasion. De préférence quand je ne suis pas là, parce que je connais déjà ces histoires par cœur !

L'abbé parut quelque peu surpris :

— Vous parlez sérieusement ?

— Très sérieusement, dit Sylvie. Comparé à moi, le commissaire Maigret n'est qu'un apprenti ! Et j'exagère à peine... Il me suffit de regarder dans la boule et je vois tout.

— La boule ?

— La boule que j'ai là-dedans, dit Sylvie en se tapant sur le crâne.

— C'est très exact, dit Gambier. Sauf que ce n'est pas une boule, mais une araignée. Ne faites pas trop attention, monsieur le curé : cela lui revient chaque année, en général à la saison des foins. Les femmes, vous savez... Tiens, vous ne connaissez pas votre bonheur !

Le curé sourit :

— C'est un point de vue. Quoi qu'il en soit, vous avez réussi à me remettre de bonne humeur et c'est déjà ça.

Il se tourna vers Sylvie :

— Cette petite idée, on peut savoir ?

— Non. C'est une idée minuscule. Le moindre choc la tuerait, la pauvre ! En revanche, je veux

1. Voir *Sylvie voit double* et *Sytvie la bague au doigt.*

bien condescendre à vous faire une suggestion intelligente…

— Je vous écoute.

— Bon. Alors, voilà. Vous ne tenez pas à faire appel à la police et je pense que vous avez raison. Mais on devrait laisser courir le bruit que la police a eu vent de l'affaire et va intervenir… Vous me suivez ?

— Comme ton ombre, dit Gambier. Mais pourquoi ? Je ne comprends pas.

Elle soupira :

— Le contraire m'eût prodigieusement étonnée. Mais tout simplement parce que le coupable, si coupable il y a, va dès lors très probablement s'affoler. Faut-il te rappeler que la peur du gendarme est le commencement de la sagesse ? Moi je connais des gens qui, au volant de leur Alfa, se prennent pour Jacky Ickx, mais se transforment en tortue à la seule vue d'un képi… Enfin, passons. Donc, annoncer que les flics pourraient très bien, très bientôt…

— C'est astucieux, dit l'abbé.

— Génial, corrigea Sylvie. Je ne serais pas du tout surprise que notre petite Vierge revienne toute seule, aussi mystérieusement qu'elle a disparu !

— Ce serait évidemment la solution idéale. Mais si le coupable ne s'affole pas ?

— Ça, monsieur l'abbé… Si ma tante avait des ailes, elle volerait de fleur en fleur ! Vous voyez ce que je veux dire ? Quand bien même on n'aurait qu'une chance sur dix, elle vaut d'être tentée.

L'abbé sourit :

— Oui. Je m'en vais donc leur raconter cela. Que la police a été avertie, on ne sait trop comment, et que... Nous verrons bien. Vous croyez vraiment que nous aboutirons ?

— Comment donc ! affirma Sylvie. Ce que femme veut, Dieu le veut, tout le monde sait ça. Sans compter que, de plus, j'ose espérer que vous êtes, quant à vous, bien introduit auprès du Bon Dieu ? Demandez-lui donc de me donner un petit coup de pouce...

— Promis, dit le curé en riant. J'y vais même de ce pas. A bientôt.

Il se leva et s'en fut. Gambier bâilla comme un caïman.

— Ça me rappelle une histoire, dit Sylvie. Tu connais la différence qu'il y a entre un crocodile et un caïman ?

— Heu... non.

— Il n'y en a pratiquement pas : ils sont « caïman » pareils !

Gambier soupira, leva les yeux au ciel.

— Une nana comme ça, faut se la farcir, je vous jure ! Dis donc, à propos de farcir... Ces belles grosses tomates que j'ai vues ce matin à la cuisine, ainsi que ces jolies petites crevettes ?...

— Exact, dit Sylvie. Sur ce plan-là, on ne peut rien te cacher. Tu n'as rien dans le crâne, mais un fameux radar au niveau de l'estomac ! Viens, on va voir où ça en est...

Ils se dirigèrent vers la cuisine. Le curé Lejeune discutait au milieu d'un groupe de garçons. Sylvie sourit. Bien sûr, que j'ai ma petite idée. Pas si petite que ça, même. C'est d'ailleurs presque évident. Sauf pour les hommes. Qui ne comprennent décidément jamais rien...

VIII

L'annonce de l'arrivée probable de la police provoqua effectivement une certaine effervescence parmi les garçons. Sylvie observait Willy. Il se contenta de hausser les épaules et se remit tranquillement au travail.

Sylvie était presque persuadée que le voleur allait restituer la petite Vierge. Or, les choses, cette fois, ne se passèrent pas exactement selon ses prévisions.

Le curé Lejeune reçut le lendemain une nouvelle lettre, semblable à la première. Elle disait simplement : *Cherchez sous le lit de l'Allemand.* L'abbé, perplexe, mit la lettre en poche et attendit l'arrivée de Sylvie et de Gambier.

Ils arrivèrent au camp peu avant dix heures.

— Cette fois, dit Gambier, il n'y a pas à hésiter : il faut aller voir.

— Oui, admit Sylvie. Mais cela ne prouvera rien.

— Comment cela ?

— Réfléchis, Phil : si la statuette se trouve en effet cachée sous le lit de Willy, comment quelqu'un le saurait-il ?

— Le hasard...

— Il a bon dos, le hasard ! Il est douteux que Willy se dénonce lui-même... Si la statuette est là, c'est que quelqu'un l'y a mise. Ça tombe sous le sens.

— Ouais. Allons tout de même jeter un coup d'œil.

— Mais pas sans Willy, dit le curé Lejeune. Soyons corrects. Je vais le chercher.

Il revint quelques minutes plus tard en compagnie de Willy. Le garçon lut la lettre et haussa les épaules avec agacement.

— Pardonnez-moi l'expression, monsieur le curé, dit-il, mais je commence à en avoir sérieusement plein le dos ! Allons-y.

Ils se dirigèrent vers le dortoir. Les lits étaient alignés avec une ordonnance presque militaire. Celui de Willy se trouvait dans le fond, à gauche, sous une des fenêtres. Il fallait littéralement se coucher pour voir en dessous.

— Vous permettez ? dit Willy.

Il se mit à genoux, se pencha. Il s'en doutait : la petite Vierge était là, attachée au sommier par deux bouts de fil de fer.

— Votre mystérieux informateur n'a pas menti, monsieur le curé, dit-il.

Il y avait de l'amertume et de l'ironie dans sa voix. Il détacha la statuette, se redressa.

— Et voilà, dit-il. Je suppose que vous allez me livrer à la police ?

Il y eut un bref silence embarrassé. Sylvie regardait Willy. Il y avait de la tristesse sur son visage. Aussi une sorte de colère contenue.

— Non, dit Sylvie. Du moins, pas encore. Nous dirons que monsieur le curé a trouvé ce matin la statuette devant sa porte, rapportée par une main inconnue.

— Mais..., commença Gambier, étonné.

— Je sais ce que je fais, Phil. Tu peux aller, Willy. Ne parle pas de cette lettre.

Le garçon la regarda avec gratitude.

— Merci, dit-il.

Il s'en fut.

— Que comptes-tu faire ? demanda Gambier.

— Jouer le grand jeu. Je suis de plus en plus convaincue que ce n'est pas Willy le coupable. Le dénonciateur l'aurait vu voler la statuette ? Il l'aurait vu ensuite la cacher sous le lit ? Cela fait beaucoup de coïncidences. Ça ne tient pas debout. Et pourquoi n'a-t-il pas indiqué la cachette dans son premier message anonyme ? Le coupable, je le connais. Pas vous, monsieur l'abbé ?

Le curé eut un faible sourire.

— Evidemment, dit-il, logiquement... Mais je n'arrive pas à croire que ce soit lui. Je l'ai observé attentivement. Il semble absolument normal. Comment l'accuser sans preuves ? Et si ce n'est pas lui, nous allons lui porter un coup terrible, le blesser cruellement et inutilement. Ce n'est vraiment pas le moment...

— Peut-on savoir, demanda Gambier, de qui vous parlez ?

Sylvie le regarda.

— C'est pourtant enfantin, Phil. Dans ce genre d'affaires, il y a deux questions classiques à se poser. La première : à qui le crime — ici, façon de parler — profite-t-il ? La deuxième : cherchez la femme... On pense tout de suite à qui ?

— Aucune idée, dit Gambier.

— A Roger, hélas ! dit le curé Lejeune.

— Nous y sommes, reprit Sylvie. Il est amoureux de Janine qui, elle n'est pas amoureuse de lui. Survient Willy. Et, entre lui et Janine, c'est tout de suite le coup de foudre. Mets-toi à la place de Roger... Comment ne détesterait-il pas Willy ? De plus, Willy est grand et fort, plutôt beau garçon. Lui, Roger, il est bourré de complexes. Il a déjà, à son âge, le sentiment d'avoir raté sa vie. Il songe donc tout naturellement à éliminer son rival...

Gambier se gratta le crâne avec vigueur.

— J'ai aussi raisonné de la sorte, dit l'abbé. C'est la logique même. Mais Roger... Un timoré, certes. Et il est sûrement très malheureux... Je le crois cependant incapable d'accomplir une action aussi basse.

— C'est certainement très triste, dit Sylvie. A vous de décider, monsieur le curé, s'il faut passer l'éponge. Après tout, on a récupéré la petite Vierge et c'est le principal.

Le curé hésita. D'un certain côté, évidemment, c'était tentant. Mais aussi très injuste.

— Non, dit-il. Nous garderons toujours en nous le sentiment que Roger a agi vilainement, sans vraiment savoir. Et Willy aussi restera suspect. Il faut en avoir le cœur net. Pas pour punir. Il ne s'agit absolument pas, bien entendu, de désigner le coupable à la police. Mais il faut que l'ordre règne dans la maison. Il faut que tout le monde puisse regarder tout le monde dans les yeux. Mais comment faire ?

— Je m'en charge, dit Sylvie. Je vais parler à Roger.

Elle sourit :

— D'homme à homme ! Il faut crever l'abcès. Ne craignez rien. Je saurai trouver les mots...

Les garçons apprirent avec joie que la statuette était retrouvée et ne songèrent pas un instant à mettre en doute la version officielle. On installa la petite Vierge sur l'autel, sous la tente blanche.

— Je suis rudement contente, dit Janine. C'est notre petite Vierge, Willy !

— Oui, dit-il. Le seul ennui, c'est qu'on la retrouvée sous mon lit.

— Quoi ?

— C'est ainsi. Mais monsieur le curé préfère ne pas l'annoncer. Pas encore. Ils ont des doutes... N'empêche qu'elle était sous mon lit. Ils l'ont appris par une nouvelle lettre anonyme. Quand je tiendrai le salaud qui...

Il regarda Roger. Mais comment être sûr ? Sylvie aussi observait Roger. Leurs regards se croisèrent et Roger, aussitôt, détourna les yeux. Il rougit faiblement et s'éloigna. Un malheureux, oui. Un pauvre type.

— Tu as vu, mamy, dit Virginie, la petite Vierge noire, on dirait qu'elle sourit...

C'était vrai. Un léger sourire, comparable un peu à celui de la Joconde. Une expression de douceur et de bonté. Il faut lui pardonner..., semblait-elle vouloir dire. *Pardonnez-nous nos offenses, comme nous pardonnons à ceux qui nous ont offensés...* Sylvie hésita. Pauvre Roger. Avec son grand corps dégingandé et maladroit. Avec sa tête de mouton, comme disait Annie. Avec son amour repoussé. Tandis que Janine riait en mettant sa main dans la main de Willy... Comment supporter cela ? Alors vient, sournoise, insidieuse, la tentation. Non, pas cela. C'est trop moche. Imbécile, dit la petite voix obstinée, qui le saura ? Il t'a bien volé ton amour, lui. Lui, l'étranger. Il faut qu'il s'en aille. Il faut qu'on le chasse, honteusement, sous les yeux de Janine. Ainsi, elle ne l'aimera plus. On ne peut aimer ce qu'on méprise. Ainsi, tu conserveras encore une petite chance. Terrible tentation. C'est facile. Entrer au dortoir, ouvrir le coffre, deux bouts de fil de fer... Ni vu ni connu. Et puis envoyer la lettre. Terrible tentation, oui. Qui vous grignote le cerveau. Qui ronge comme un insecte, patiemment, férocement, jusqu'au moment où l'on n'a plus la force de résister. Je suis un salaud. Mais non, mais non, dit la petite voix. Toujours les grands mots. Encore une fois, qui le saura ? Ce qui compte, c'est qu'on le chasse comme un voleur sous les yeux de Janine. Pense à Janine, à ses yeux, à sa bouche. Parce qu'ils veulent se marier et qu'alors, pour toi, tout sera fini à jamais. Vas-tu permettre cela ? Vas-tu, comme toujours, t'avouer battu à l'avance ? Cette fois, c'est très important. Pense à Janine ! C'est entendu, ce type est plus séduisant que toi. Mais quand on n'est pas le plus fort, il faut être le plus rusé, le plus intelligent. Toutes les armes sont bonnes. Tous les coups sont permis. A la guerre comme à la guerre. Pense qu'il la tient dans ses bras, l'Allemand...

Alors, tout craque. Une sorte de folie aveugle. Un goût de nausée, mais une lucidité haineuse, implacable et froide.

Pauvre Roger, pensait Sylvie. Il faut lui pardonner, oui. Il n'était plus lui-même. A présent, il doit être encore plus malheureux. Il doit se détester. Pourquoi certains n'ont-ils jamais, jamais de chance ? Pourquoi certains possèdent-ils tout : la joie de vivre, la baraka, la faculté d'apprivoiser le succès, alors que d'autres n'ont rien ? C'est là qu'elle est, la grande et inévitable injustice. Je lui parlerai doucement, gentiment. Crever l'abcès, oui. L'abcès qu'il porte dans l'âme et qui le fait souffrir.

■

Roger se tenait, comme le plus souvent, un peu à l'écart. Les autres riaient et plaisantaient. Willy et Janine mangeaient côte à côte. Simba était assis aux pieds d'Annie : il lui savait le cœur généreux et attendait patiemment les morceaux de viande qu'elle ne résistait pas à lui donner.

— Quel chien, disait-elle. Un vrai mendiant. Il me prendrait le pain de la bouche ! Ça ne fait rien, mon gros toutou, on t'adore...

Là-dessus, Simba penchait tendrement la tête, agitait la queue et hop ! avalait une bouchée de corned-beef. Avec les filles, il suffit de savoir s'y prendre...

Sylvie sourit. Puis, de nouveau, elle regarda Roger. Il posa sur le sol son assiette vide, s'essuya la bouche du revers de la main et alluma une cigarette. Il se mit à fumer d'un air absent. Puis il se leva et fit quelques pas en direction de la piscine. C'est le moment, se décida Sylvie. Elle se leva à son tour.

— Ça va, Roger ?

Il la regarda, l'air un peu embarrassé.

— Oui, merci. Pourquoi me demandez-vous cela ?

— Pour rien. Pour savoir. J'aimerais bavarder un peu avec vous. Vous m'accompagnez jusqu'au moulin ?

Un ancien moulin à eau, qui fonctionnait encore. Il était accolé à une grosse ferme blanche qui, autrefois, avait appartenu à l'abbaye.

— Si vous voulez, dit Roger sans enthousiasme.

Ils empruntèrent le petit chemin. Un petit chemin charmant mais à peine praticable. Il fallait regarder où poser le pied, ce qui ne facilitait pas la conversation. Roger se demandait vaguement ce qu'elle lui voulait. Ils furent bientôt devant le moulin. Ils s'assirent dans l'herbe. La grande roue tournait et grinçait faiblement. L'eau de l'Orvette brillait au soleil. Sylvie arracha une longue tige et se mit à la mâchonner machinalement. Au fond, c'était très difficile de trouver les mots.

— Tu te souviens, demanda-t-elle, de notre dernière conversation ?

— Oui.

— Tu te sens mieux, maintenant ? Je pense à Janine…

Il eut un faible sourire :

— Affaire classée. Pertes et profits. Et comme je suis surtout habitué aux pertes…

— Comment trouves-tu Willy ?

— Que voulez-vous que je vous dise ? C'est leur affaire.

Il s'amusait à jeter de petites pierres dans l'eau.

— Tu le détestes, n'est-ce pas ? répéta Sylvie.

Il haussa les épaules :

— Même pas. Vous voulez que je vous dise ? Je me fiche de cela, à présent. Je me fiche d'ailleurs de tout.

— Même de la petite Vierge ?

Il regarda Sylvie et parut surpris.

— Que voulez-vous dire ?

— Tu sais très bien, Roger, ce que je veux dire. Bien sûr, il y avait d'énormes circonstances atténuantes... Mais tu ferais mieux d'avouer, à présent. Il faut avoir ce courage. Tu te sentiras beaucoup mieux après. On n'en parlera à personne. On n'en parlera plus jamais.

Il avait rougi violemment.

— Je ne sais pas, dit-il, de quoi vous voulez parler. Avouer quoi ?

— Que c'est toi qui as dérobé la statuette, pour te venger de Willy.

Sylvie avait élevé la voix. Elle le regardait fixement. Il cria presque :

— Mais ce n'est pas vrai !

— Et les lettres, ce n'est pas vrai non plus ?

Il s'était mis à trembler faiblement. Il y avait dans ses yeux une sorte d'épouvante.

— Quelles lettres ? Je ne comprends rien. Rien du tout.

— Les lettres anonymes qu'a reçues monsieur le curé, dénonçant Willy... Mais avoue donc, Roger !

Il eut, brusquement, les larmes aux yeux.

— C'était donc ça, dit-il. Pour ça que tout le monde me regardait de travers. Janine et Willy, l'abbé et vous-même... Je sentais bien cette méfiance, cette hostilité. Je ne comprenais pas. Mais ce n'est pas vrai. Ce n'est pas moi. Parole d'honneur !

Une sorte de colère fut en Sylvie.

— Cesse de nier l'évidence. Toi seul avais des raisons d'en vouloir à Willy... Tout le monde peut faire une bêtise. Mais personne n'a le droit de persévérer dans l'erreur. J'avais pour toi beaucoup de sympathie, Roger. Mais ne me pousse pas à bout... Avoue !

Il sortit de sa poche un grand mouchoir à carreaux bleus et blancs, se moucha longuement.

— Ce n'est pas moi, dit-il. Puisque je vous dis que ce n'est pas moi...

Sylvie regardait ces yeux brillants, ce visage buté. Elle sut qu'il n'avouerait jamais.

— Tu as tort, Roger, dit-elle. On t'avait déjà pardonné. A condition que tu agisses en homme. Tu as tort. Réfléchis encore.

Il haussa les épaules et se remit à jeter des pierres dans l'eau. Il eut un bref ricanement.

— Fichez-moi la paix, dit-il. Vous êtes comme les autres. Mais je ne vous ai rien demandé... La paix, oui.

Sylvie hésita. Puis elle se leva et s'éloigna en direction du camp. Elle était profondément déçue. C'est vrai qu'elle avait de la sympathie pour lui. Plus que de la sympathie, même : une chaleur émue. A présent, elle était furieuse. Un menteur. Un menteur accroché à son mensonge. Un hypocrite. Et quel comédien ! Mais je trouverai bien le moyen de le confondre. C'est très joli, la pitié, mais il ne faut tout de même pas se moquer du monde... Il n'avouera jamais. Il se ferait plutôt couper en morceaux. C'est cela que je déteste : cette obstination. La main dans le sac. Mais il nie. Ce n'est pas moi : parole d'honneur ! Il ne manque pas de culot. Il s'entête ? Bon. Mais alors moi aussi, je vais m'entêter...

— Alors ? demanda l'abbé Lejeune.

— Alors rien. Il nie tout en bloc. Et je vous assure qu'il joue bien la comédie.

— Si j'essayais, moi ? proposa Gambier.

— Inutile, Phil. On ne discute pas avec un mur. Monsieur déclare qu'il se fiche de tout et demande qu'on lui laisse la paix. Un point, c'est tout. Tiens, je l'aurais giflé.

Le curé Lejeune réfléchissait.

— Dommage, dit-il. Enfin, si c'est ainsi, c'est ainsi.

— Non, dit Sylvie. Ce serait trop facile. Ce qu'il a fait est trop lâche. Il faut réhabiliter Willy.

— Mais comment ?

— Je ne sais pas. Pas encore. Attention, le voici…

Roger s'approchait d'un pas décidé. Il ignora délibérément Sylvie et Gambier.

— Monsieur le curé, dit-il, je vous demande la permission de quitter le camp, de rentrer chez moi.

— Sans blague ? ironisa Sylvie.

Mais il ne la regarda même pas.

— Attends, dit l'abbé. Il ne faut jamais rien décider sur un coup de tête. Il faut tirer tout cela au clair, Roger… Attends encore vingt-quatre heures. Après, nous en reparlerons.

— Comme vous voulez, dit le garçon. Mais cela ne changera rien.

Il s'éloigna. Gambier haussa les épaules.

— Autant le laisser partir tout de suite. On n'en tirera rien.

— Qui sait ? dit le curé Lejeune. Il va réfléchir. Et puis, de toute manière, je préfère lui laisser le temps de se calmer. Dans l'état où il est, s'il allait faire une bêtise… Voyez-vous, quand les gens sont dans la détresse, quelles que soient les raisons de cette détresse, il faut les aider, leur tendre la main et non les écraser.

— Oui, dit Sylvie.

Déjà, elle regrettait d'avoir été si brusque avec Roger.

— Oui, reprit-elle. Mais convenez qu'il n'est guère coopératif ! Il y a de quoi s'énerver. Enfin, attendons...

Et si ce n'était pas lui ? pensa-t-elle. Mais il était impossible que ce ne fût pas lui. Lui seul avait des motifs d'en vouloir à Willy. Un remarquable comédien, oui. Son air tour à tour surpris, indigné, malheureux... Le ton de sa voix et même les larmes aux yeux ! Il devrait cesser de vendre des meubles et faire du théâtre. Il y réussirait sûrement une belle carrière !

— A quoi penses-tu ? demanda Gambier.

— A quoi veux-tu que je pense ?

Il haussa les épaules :

— Laisse tomber. Tu es encore plus têtue que lui. J'en ai ras le bol, à la fin, de cette histoire. Tiens, je vais me baigner. Tu viens ?

Mais Sylvie n'avait pas envie de se baigner. Il haussa de nouveau les épaules et rit :

— Tu préfères continuer à penser, hein ? Tu penses trop. Tu surchauffes ta petite cervelle ! Enfin, si ça t'amuse...

Il alla passer son maillot. Sylvie se dirigea vers la cuisine. Janine y était seule.

— Annie n'est pas là ? s'étonna Sylvie.

— Elle est allée acheter du sel au village. Elle revient tout de suite.

Sylvie regarda Janine et sourit :

— Toujours amoureuse ?

— Bien sûr. Vous savez, il est formidable. Quand je pense qu'on a essayé de l'accuser de... C'est dégoûtant.

— Tu es au courant ?

— Oui. Willy m'a raconté. Mais je ne dirai rien à personne. N'empêche que c'est dégoûtant. Je ne l'aurais jamais cru capable de ça.

Sylvie leva vivement la tête :

— Qui n'aurais-tu jamais cru capable de ça ?

La jeune fille se troubla :

— Je ne sais pas. Je veux dire... Il me semble que...

— Vas-y, insista Sylvie. Cela restera entre nous. Mais tu me rendras service. Qui soupçonnes-tu ?

— Roger. Oh ! je ne suis pas sûre. Je n'ai aucune preuve. Je ne voudrais surtout pas... Mais enfin, qui d'autre aurait intérêt à essayer de nuire à Willy ? Et puis il a un drôle d'air. Il me regarde, parfois, bizarrement... Remarquez que je ne lui en veux même pas. C'est un pauvre type. Mais c'est moche...

— Pfutt ! souffla Annie en poussant la porte. *Que calor !* Tout ça pour un kilo de sel...

— La marche, dit Sylvie en souriant, c'est très bon pour la ligne ! Salut, les filles. Je m'en vais voir ce que mes adorables enfants sont probablement en train de démolir !

Eric et Virginie pataugeaient dans l'eau avec leur père. Charmant petit tableau de famille... Sylvie sourit. Puis, quelque chose la poussant, elle se dirigea vers la tente-chapelle. La petite Vierge noire était là, avec son sourire un peu énigmatique et son air de douceur.

Ainsi, songea Sylvie, Janine aussi pense que c'est Roger. Evidemment. Et lui, il veut s'en aller… C'est décidément trop facile. Il faut que je trouve la preuve. Que je la trouve vite.

Et soudain, d'un coup, elle trouva.

IX

— Après tout, dit le curé Lejeune, pourquoi pas ? Autant en finir une bonne fois… Vous croyez qu'il peut réussir ?

Sylvie sourit :

— Sans aucun doute. J'ai du flair, c'est entendu. Mais le sien est infaillible ! Je me demande d'ailleurs pourquoi je n'y ai pas songé plus tôt…

— Entendu. Nous ferons cela demain à dix heures. J'ai hâte d'en avoir le cœur net.

Il marqua une brève hésitation.

— Ce sera, pour Roger, un moment très désagréable…

— Il l'a cherché, dit Gambier. La bienveillance n'exclut pas la justice.

L'abbé ouvrit les bras pour signifier qu'il regrettait, mais que, en effet…

■

Le lendemain, à dix heures, tous les garçons furent réunis dans le dortoir. Annie et Janine étaient également présentes. Sylvie constata avec étonnement que Roger avait un air réjoui parfaitement inhabituel. Elle en conclut qu'il était encore meilleur comédien qu'elle ne l'avait pensé. Mais attends une minute, mon bonhomme... Une certaine agitation régnait parmi les garçons, qui se demandaient ce qui se passait.

— Mes amis, commença le curé Lejeune, j'aurais voulu pouvoir éviter cette... cette expérience. Les circonstances m'y contraignent. Il y a, en effet, un certain nombre de choses que vous ignorez. Il s'agit de la disparition de notre petite Vierge...

Il leur dit tout. Les lettres anonymes. Comment la statuette avait effectivement été retrouvée sous le lit de Willy... La stupéfaction était sur tous les visages. Ils regardaient Willy. Ils se regardaient l'un l'autre avec une méfiance consternée.

— J'ai voulu, poursuivit l'abbé, faire de Tarques un endroit fraternel, cordial, heureux. Cela ne pourra plus être, tant que ce mystère n'aura pas été élucidé. J'avais espéré que le coupable se dénoncerait. Tout le monde peut avoir un moment d'égarement. Mais rien n'est venu...

Sylvie observait Roger. Il était assis sur son lit. Il avait, sur les lèvres, un sourire inexplicable, comme si une joie irrépressible l'habitait.

— Je n'aime pas beaucoup, conclut l'abbé, que la police se mêle de nos affaires. C'est pourquoi j'ai résolu d'intervenir moi-même avant elle... Luigi, veux-tu aller chercher la petite Vierge.

Luigi parut surpris, mais sortit sans commentaires. Il y eut quelques murmures. Dans le dortoir, la chaleur déjà était étouffante. Couché sur le sol aux pieds de Sylvie, Simba haletait bruyamment. Luigi revint aussitôt avec la statuette.

— Donne-la à Mme Gambier, dit l'abbé.

Sylvie prit la petite Vierge. Elle était un peu inquiète. Est-ce que cela allait réussir ? Elle se pencha :

— Sens, Simba. Sens bien, mon chien...

Simba se leva, renifla longuement la statuette. Le silence, à présent, était total. Sylvie rendit la petite Vierge au curé Lejeune. Elle gratta doucement Simba entre les oreilles.

— Maintenant, dit-elle, cherche. Va... Cherche, Simba !

Le chien hésita. Puis il leva le museau et l'on vit sa truffe palpiter.

— Cherche ! ordonna encore Sylvie.

Alors Simba renifla le sol en tous sens, puis il se mit à avancer. De lit en lit... Il s'arrêtait devant chaque lit. Parfois, il faisait demi-tour, puis repartait. Les garçons ne bougeaient pas. Un suspense étrange, un peu inquiétant... Pourvu qu'il comprenne, pensait Sylvie. Pourvu qu'il trouve. Simba s'approchait du lit de Willy. Il se mit soudain à aboyer. Si furieusement que tout le monde sursauta.

— Oui, dit Sylvie, c'est très bien. Cherche encore, continue... Encore, Simba !

Simba regarda sa maîtresse. De nouveau, il hésita. Sylvie le poussa doucement.

— Encore, répéta-t-elle. Plus loin...

Tous les yeux étaient fixés sur Simba. Gambier retenait son souffle. Le curé Lejeune, immobile, tenait la statuette à bout de bras. Lentement, mètre par mètre, lit après lit, Simba s'approchait de Roger. Mais Roger continuait de sourire. Je ne comprends pas, pensa Sylvie. Ou alors c'est qu'il avait caché la statuette ailleurs et que... Je ne comprends pas.

Simba passa devant Roger sans même s'arrêter. C'est raté, pensa encore Sylvie. Elle regarda le curé Lejeune, qui poussa un léger soupir. Gambier haussa les épaules. Janine et Willy échangèrent un regard étonné.

— Quelqu'un s'est rudement trompé, murmura Gambier. Ou Simba, ou toi. Mais j'ai bien l'impression que ce n'est pas lui... Quoi qu'il en soit, cela n'est guère concluant. Arrête cette comédie. C'est ridicule et je...

Il se tut. Simba, le poil hérissé, aboyait de nouveau rageusement. Et le garçon était devenu blanc comme un linge. Jacques... Le petit Jacques Herpin. Il venait à peine de quitter le collège. Un garçon insignifiant, effacé, toujours serviable, toujours poli. Les autres l'appelaient « le gamin ». Il avait le visage rond, presque encore un visage d'enfant, et les cheveux longs, légèrement bouclés. Il s'appuyait contre le mur, manifestement en proie à une peur intense. Simba grondait, montrait ses crocs redoutables.

— Mais ?... dit le curé Lejeune ébahi.

— Mais ?... dit Gambier.

Tout le monde, à présent, regardait Jacques. Il tourna vers Sylvie des yeux épouvantés.

— Rappelez-le, supplia-t-il. Rappelez votre chien...

Il s'effondra tout de suite :

— Oui, c'est moi. Je vais tout vous dire, tout. Mais ce chien...

Sylvie rappela Simba, qui obéit docilement.

— Que tout le monde sorte, ordonna le curé Lejeune. Sauf toi, Jacques.

Ils sortirent dans un silence consterné.

Le petit Jacques restait debout, le dos contre le mur.

— Je t'écoute, dit doucement l'abbé.

Le garçon haussa les épaules.

— Vous savez déjà tout. La petite Vierge, je l'avais cachée sous mon lit. Puis, quand j'ai su que la police allait venir, j'ai pris peur. Je l'ai mise sous le lit de Willy.

— Et tu as envoyé la deuxième lettre ?

— Oui.

Il baissait la tête. Il se mordillait nerveusement

les lèvres.

— Mais pourquoi, demanda Sylvie, pourquoi as-tu fait cela ?

Il ne répondit pas. Il fixait obstinément le sol.

— Pourquoi ? répéta Sylvie. Dis-le. Cela restera entre nous. Personne ne le saura.

Il hésita. Un instant, il leva les yeux. Puis de nouveau il baissa la tête.

— A cause de Janine, jeta-t-il.

— De Janine ?

— Oui.

Sylvie ne comprit pas tout de suite.

— Tu veux dire que... que tu étais jaloux ?

— Oui.

Ainsi, lui aussi ! Mais personne ne s'en doutait. Parce qu'il ne disait rien, ne manifestait rien. Il s'était mis à aimer la jeune fille en secret. Il savait qu'il était trop jeune, trop insignifiant. Roger lui était indifférent, parce que Roger n'avait aucune chance. Puis Willy était venu... Lui et Janine riaient en se tenant par la main. Comment empêcher cela ?...

— Est-ce que tu te rends bien compte, demanda le curé Lejeune, de ce que tu as fait ?

— Je ne sais pas. Je vous demande pardon. Vous allez me livrer à la police, n'est-ce pas ?

Non, il ne se rendait pas très bien compte. Il avait seulement très peur. Il devait avoir peur de tout. De Willy, de Simba, de la police, de ses parents.

— Non, dit l'abbé, nous n'allons pas te livrer à la police. Est-ce que tu regrettes, au moins ?

Il parut soulagé.

— Oui. Oh oui !

— Mais tu vas quitter le camp, reprit l'abbé. Après ce qui s'est passé, tu ne peux plus rester ici. Tu vas rentrer chez toi...

— Et vous allez dire pourquoi à mes parents ?

De nouveau, dans ses yeux, la peur.

— Ils sont tellement sévères, tes parents ?

— Mon père, oui... Vous savez, c'est un colonel.

Un colonel qui avait décidé d'élever son fils à la dure. Garde à vous. Crac dedans. Silence quand je parle. Ainsi se creuse le fossé. Ainsi le petit Jacques avait-il appris, dans la crainte, à se taire, à dissimuler, à agir par en dessous. En se montrant toujours serviable, toujours bien poli. En s'effaçant, en toutes circonstances, le plus possible...

— Nous ne dirons rien à tes parents, reprit l'abbé. Nous dirons que tu avais le cafard, que tu ne te sentais pas très bien.

Il consulta sa montre :

— Le bus passe à midi. Prépare-toi, Jacques, et attends-moi ici.

Ils sortirent. Les garçons attendaient dehors.

— Retournez au travail, dit le curé Lejeune. Je veux qu'on ne parle plus de cette histoire. Personne. Jamais.

Il se tourna vers Willy.

— D'accord, Willy ?

Le garçon sourit :

— D'accord, dit-il. Venez, les copains...

Il empoigna sa pelle et s'en fut, suivi des autres.

— Qui eût pensé cela ? dit Sylvie. Le petit Jacques...

— Navrant, dit l'abbé. Il ne mesure même pas la gravité de son acte. Une éducation trop rigide.

— Je crois que si, dit Sylvie. Je crois qu'il mesure, au fond, la gravité de son acte. Mais en secret, comme il fait tout. Il retiendra la leçon... Janine, lui aussi !

Gambier sourit :

— Cherchez la femme, tu le disais toi-même. Cherchez la femme, source de tous les maux ! Je vous répète, monsieur le curé, que vous ne connaissez pas votre bonheur !

L'abbé eut un faible sourire :

— Je commence à en être persuadé ! Et aussi, par contre, à me demander si je ne me trompe pas. J'ai volontairement voulu qu'il y ait des filles à Tarques. Afin qu'ils apprennent à se connaître. Et voilà où cela conduit...

— Non, dit Sylvie. Vous avez raison. De nos jours, filles et garçons sont tous copains. Mais Jacques est un cas exceptionnel. Précisément parce qu'il a été élevé en vase clos, parce qu'il n'a jamais eu de ce fait l'occasion d'approcher les filles. Dès que cette occasion lui a été donnée, il s'est mis à rêver, à cristalliser. Il n'est pas amoureux de Janine. Il est amoureux de l'amour. Et de manière d'autant plus exaltée qu'elle restait secrète et qu'il a un formidable besoin d'évasion...

Elle soupira :

— Ce n'est pas toujours facile, d'élever des enfants ! Au fond, ce petit Jacques, il est plutôt à plaindre.

Gambier haussa les épaules.

— Ouais. Mais à ce compte-là personne n'est jamais responsable et on peut toujours tout expliquer, tout justifier, tout excuser. Il reste qu'il y a des choses qui ne se font pas, quoi qu'il advienne...

Il rit :

— Ainsi, moi aussi je suis follement amoureux de Janine. Est-ce que j'envoie des lettres anonymes pour autant ?

■

— Roger, dit Sylvie, vous m'en voulez beaucoup, n'est-ce pas ?

Roger s'arrêta, reposa la brouette sur le sol et s'essuya le front du dos de la main. Il regarda Sylvie et sourit.

— Sur le moment, dit-il, je vous en ai voulu, oui. Ensuite j'ai réfléchi. Il faut dire que toutes les apparences étaient contre moi. Il y a un instant, Willy est venu me serrer la main, en me demandant de l'excuser parce que, lui aussi... Evidemment.

Son sourire s'accentua.

— Ouf, je me sens bien. Je me sens même merveilleusement bien. J'ai reçu une lettre ce matin. Vous connaissez Mobilux ?

— Les meubles Mobilux ?

— Oui. J'avais postulé chez eux, à tout hasard. Sans y croire. Eh bien, ils m'engagent. Et comme chef de service ! A mon âge, c'est inespéré. Une chance incroyable...

C'était donc cela, son sourire, tandis que Simba jouait les chiens policiers... Maintenant, il rayonnait. Il avait oublié sa tristesse, sa faiblesse, le goût de l'échec. Il était un autre homme. Il s'engageait résolument, joyeusement, dans une vie nouvelle...

Sylvie sourit :

— Félicitations ! Vous voyez, Roger : la roue finit toujours par tourner...

— Oui. Et cette fois, dans le bon sens. Je sens que ça va marcher. C'est ma mère qui va être contente !

Il en avait même oublié Janine. Tout cela, c'était déjà le passé. Et, au fond, des histoires de gosses.

Il reprit la brouette. Il leva les yeux, regarda le ciel, sourit de nouveau.

— Il y a longtemps que je n'avais plus pensé ça, dit-il. Mais la vie, aujourd'hui, je trouve qu'elle est belle ! Rudement belle même...

■

— Bien franchement, dit Gambier, j'ai passé des vacances magnifiques. Dommage que ça passe si vite. Hélas, tout a une fin...

Il s'étira, bomba le torse avec satisfaction. Il se sentait en pleine forme.

— Dans le fond, reprit-il, ce qui est agréable, c'est le sentiment d'être utile, de servir à quelque chose...

Sylvie sourit :

— Surtout quand on n'en a pas l'habitude !

— Tu peux rire, sotte créature. Moi, j'ai fait cette piscine. Toi, en somme, tu n'as fait que des bêtises. En réussissant à flanquer la pagaille partout. Mon flair, mon instinct... Mon œil, oui !

— Et alors, intervint Mme Renaud volant au secours de sa fille, tout le monde peut se tromper. Vous ne vous êtes jamais trompé, vous, peut-être ?

— Si, admit Gambier avec un large sourire : le jour où j'ai épousé la nommée Renaud, Sylvie, native d'Ariennes !

— Malhonnête ! s'indigna la vieille dame. On ne vous a pas obligé. Vous avez assez couru après elle...

— Quand on est jeune, dit Gambier, on ne sait pas. On est bête.

— Moi j'en connais, grommela Mme Renaud, qui restent bêtes toute leur vie...

Sylvie se mit à rire :

— Vous avez bientôt fini ? On se croirait à l'école maternelle... En tout cas, Phil, je te donne raison pour une chose : on a passé des vacances formidables. Sans cette malheureuse histoire...

Gambier haussa les épaules :

— Bah ! on n'y pense déjà plus. Janine et Willy nagent en plein bonheur. Roger est reparti d'un bon pied... Il n'y a que ce petit Jacques...

— On reviendra l'an prochain ? demanda Eric.

— Si vous êtes sages tous les deux, dit Mme Renaud. Tous les trois, même, ajouta-t-elle en regardant Simba.

Sylvie caressa la tête de Simba.

— Lui, dit-elle, il est toujours sage. Et il ne se trompe pas ! Je me demande, parfois, s'il n'est pas le plus intelligent de toute la famille !

— Waf-waf ! approuva Simba.

Là-dessus il se coucha, soupira, regarda Sylvie en fermant à demi les yeux. Avec l'air de se dire qu'au pays des aveugles, les borgnes sont rois...

DES PRESSES DE GERARD & C°
65, rue de Limbourg, B-4800 Verviers (Belgique)
D. 1971/0099/2

L'ART DE RÉUSSIR DANS LA VIE

DÉJÀ PARUS :

Comment on devient COUTURIER
Comment on devient CRÉATEUR DE BANDES DESSINÉES

A PARAÎTRE :

Comment on devient DOCTEUR EN MÉDECINE
Comment on devient PILOTE D'ESSAI
Comment on devient CUISINIER ET RESTAURATEUR

marabout service réussir

L'ART DE RÉUSSIR DANS LA VIE

DÉJÀ PARUS :

Comment on devient INFIRMIÈRE
Comment on devient CRÉATEUR DE BANDES DESSINÉES

A PARAÎTRE :

Comment on devient DOCTEUR EN MÉDECINE
Comment on devient PILOTE D'ESSAI
Comment on devient CUISINIER ET RESTAURATEUR

marabout service réussir

POCKET MARABOUT

AVEZ-VOUS LU LES AUTRES VOLUMES DE LA COLLECTION ?